JN029093

The Academic Phrasebank:
an academic writing resource for students and researchers

アカデミック・フレーズバンク

そのまま使える！
構文200・文例1900

ジョン・モーリー［著］　高橋さきの［訳］　国枝哲夫［監修］

講談社

The Academic Phrasebank
by Dr John Morley

First published by the University of Manchester, Manchester, UK.
For Sale in Japan only. Not for export elsewhere.

Japanese translation and electronic rights arranged with the University of Manchester c/o Manchester University Press through Tuttle-Mori Agency, Inc., Tokyo.

まえがき

本書は、学術目的で文章を書く際に活用できる表現を集めたフレーズバンクである。前半では、論文の主要なセクションごとに、それぞれのセクションで頻出する基本表現を整理する。後半では、学術目的の文章で通常読者に伝えられる内容に即した場面ごとに表現を挙げてある。

本書を作るときに念頭に置いていたのは、英語が母語ではないのに英語で論文を書かねばならない人たちのことだった。しかし、本書は英語が母語のみなさんの役にも立つようで、最近のデータによると、本書の利用者の半分以上は、英語を母語とする人たちだ。

本書で集めたフレーズや、フレーズのまとまりごとにつけた小見出しは、論文執筆時に内容や構成を考えるうえで役立つはずだ。また、本書で集めたフレーズは、適宜工夫や手直しは必要になるだろうが、論文中でそのまま使ってもらってかまわない。

本書は、特定の分野に特化した書籍ではないが、実証的な研究を論文にして報告する際に広く利用できるはずだ。収録したフレーズは、特定の研究内容にかかわるものではなく、一般性のあるフレーズなので、本書のフレーズを用いても、アイデアの盗用や剽窃にはならない。

本書の前半では、フレーズを論文のセクションごとに順を追って整理してある。しかし、各フレーズが本書で整理したセクションだけに出てくるかというと、そう単純なわけではなく、たとえば、他の研究について言及する際に使用されるフレーズには、論文のどの部分に出てきても不思議でないものがたくさんある。

本書には、上記以外に、必ずしも専門的な表現ではないものも多数採録してある。論文執筆時には、そうしたフレーズも役に立つはずだ。

目次

本書について

参考にした理論

本書は、ジョン・スウェイルズ（John Swales）が1980年代に開拓した学術的文章の分析手法をベースにしている。スウェイルズは、ジャンル分析の手法を駆使して研究論文の序論における修辞パターンを特定し、文章内で特定の伝達機能を果たしている部分を「ムーブ」として定義したのだった（Swales, 1981, 1990）。

本書では、この「ムーブ」（修辞分析単位）を、フレーズ整理時の主要なサブカテゴリーのひとつとして使用した。ちなみに、スウェイルズは、論文の序論部分で多用される「ムーブ」を特定しただけでなく、各ムーブにおいて伝達目的でどんな表現が使用されるかを示すことにも注力していたのだが、そうした表現の多くがフレーズ形式だった。

本書は、言語がどのように学習され、発せられるかを明らかにする心理言語学の知見にも依拠している。

私たちが使用する表現の多くがフレーズのかたち、つまり、あらかじめ定式化された構文として獲得され、貯えられ、引き出されるような存在であることは現在では広く認められている（Bolinger, 1976; Pawley and Syder, 1983）。そして、書き言葉や話し言葉の大規模コーパス（言語分析用に集められた文章集）中の頻出定型パターンを、専用ソフトウェアを用いたコンピューター技術で識別できるようになるにしたがって、上述した知見は実証的にも支持されるようになっている（たとえばSinclair, 1991）。本書では、学術的文章でもフレーズの存在が大事だという立場に立って、そのことを実証しようと思う。

本書で集めたフレーズの出所

本書に収載したフレーズは、信頼性の高い論文から集めたものがほとんどだ。表現の「採集元」は、当初はマンチェスター大学に提出された学位論文100編だったのだが、その後、多様な分野の学術論文からさらに表現を集めることになった。なお、採集した表現の大半は単純化してあるし、特定の学術内容のみにかかわるような部分は適宜「ふるい」にかけて除いてある。また、具体的な内容を示すような単語が例として挙げられているような場合には、本書収載にあたって適宜置き換えた。収載フレーズを選ぶにあたっては、以下の点に配慮してある。

- そのフレーズを論文等で用いた場合に、きちんと情報を伝えることができるか？
- そのフレーズは、コロケーションや定型表現としての要素を含んでいるか？
- 名詞、動詞、形容詞などの使用単語が、特定状況でしか使えないものになっていないか？
- 英語を母語とする話し手や書き手にとって、その単語の組み合わせは「自然に聞こえる」か？

論文でのフレーズの利用はどこまで許容されるか

最近の研究（Davis and Morley, 2015）で、英国の2大学に所属する研究者45名を対象として、論文執筆時に特定のフレーズをそのまま再利用することは法律上認められる行為なのか、認められるとすればどんなフレーズなら再利用できるのかについて判断するための調査を行った。この調査と、その後の詳細なインタビューを通じて、再利用できるケースについて以下の特徴が浮かび上がってきた。
つまり、再利用が可能なフレーズには、以下のような特徴がある。

- 独特な構成やオリジナルな構成を持たない
- 他の著者による明瞭な見解を述べているものではない
- フレーズにもよるが、9単語を超えると「許容度」が落ちてくる
- （特定のトピックに関連していない）一般的な名詞、動詞、形容詞などは、4個くらいまでなら許容される

本書収載のフレーズには、特定のトピックに関連する単語が例示目的で含まれているものもある。フレーズの利用時には、そうした単語は適宜置き換えること。たとえば、下記表現なら、太字の単語については置き換えることになるはずだ。

- X is a major **public health** problem, and the cause of ...
（Xは、**公衆衛生**上の重大問題であり、…の原因でもある）
- X is the leading cause of death in **western-industrialized countries**.
（Xは、**西欧先進諸国**での死因の筆頭だ）

学術的なコミュニケーションでは、分野ごとに独自のフレーズも多用され、そうしたフレーズは、また別のカテゴリーを形成している。そうした表現は、本書収載の一般的なフレーズより概して短めで、名詞表現やその組み合わせであることが多い。そうしたフレーズの場合に再利用がどこまで許容されるかについては、各学術コミュニティのメンバーが当該表現をどの程度使用し、理解しているかによって決まってくる。

その後の進捗

ウェブサイトの内容については、現在も拡充中だ（https://www.phrasebank.manchester.ac.uk/)。経験豊かな執筆者や、それほど豊かでもない執筆者が本書の内容をそれぞれどのように利用しているのかについても鋭意探究中である。また、学術目的の英語（EAP）の教員に本書を利用してもらう方法についても、別のプロジェクトで検討している。

参考文献ならびにもっと知りたい人のための文献

- Bolinger, D. (1976). ‘Meaning and memory’. *Forum Linguisticum*, 1, pp. 1-14.
- Cowie, A. (1992). ‘Multiword lexical units and communicative language teaching’ in *Vocabulary and applied linguistics*, Arnaud, P. and Béjoint, H. (eds). London: MacMillan.
- Davis, M., and Morley, J. (2015). ‘Phrasal intertextuality: The responses of academics from different disciplines to students’ re-use of phrases’. *Journal Second Language Writing*, 28 (2), pp. 20-35.
- Hopkins, A., and Dudley-Evans, A. (1988). ‘A genre-based investigations of the discussions sections in articles and dissertation’. *English for Specific Purposes*, 7(2), pp. 113-122.

- Pawley, A., and Syder, F.H. (1983). 'Two puzzles for linguistic theory: nativelike selection and native-like fluency'. In: Richards, J.C. and Schmidt, R.W. (Eds.), *Language and communication,* pp. 191-226. Longman: New York.
- Sinclair, J. (1991). *Corpus, concordance, collocation*. Oxford: Oxford University Press.
- Swales, J. (1981). *Aspects of article introductions* (Aston ESP Research Report No. 1). Birmingham: Language Studies Unit: University of Aston.
- Swales, J. (1990). *Genre analysis: English in academic and research settings.* Cambridge: Cambridge University Press.
- Wood, D. (2015). *The fundamentals of formulaic language*. London: Bloomsbury.
- Wray, A., and Perkins, M. (2000). 'The functions of formulaic language: an integrated model'. *Language and Communication,* 20, pp. 1-28.

第 I 部

セクション別表現集

第1章　研究を紹介するための表現

学術的な論文や報告の書きはじめ方にはいろいろある。とはいえ、序論の場合は、以下のいずれかのかたちで書きはじめることが多いようだ。

- 扱うトピックの前後関係、背景、重要性などをはっきりさせる
- 当該研究分野で話題、問題、論争になっている事柄を示す
- 扱うトピックやキーワードを定義する
- その論文や報告の執筆目的を述べる
- その文章で扱う範囲や構成の全体像を示す

ある程度すっきりした序論であれば、読者に対して、何のトピックを扱うのか（what)、なぜそのトピックが大事なのか（why)、文章の構成はどうなっているのか（how）をストレートに伝えることができる。ごく短い報告などでは、報告の目的を述べたり、文章の構成を示したりするだけの書きはじめも珍しくない。

博士論文や修士論文の序論は論文の他のセクションと比べて短いことが多いものの、序論はさまざまな機能を持つ要素が盛り込まれるので、どうしても複雑になりがちだ。一般的な要素の例を挙げてみよう。

- 扱うトピックの前後関係、背景、重要性をはっきりさせる
- 関連文献の概要を示す
- 先行研究の不十分な点を強調する
- 研究分野が抱える問題、論争、未解明領域を示す
- 研究が望まれる状況について説明する
- 研究上の問いや仮説を列挙する
- 研究方法の概要を提示する
- 研究の意義や価値を説明する
- 特定のキーワード（重要単語）を定義する
- 論文全体の構成を示す
- 執筆者個人がそのトピックに関心を持った理由を説明する

本書では、こうした機能を実現するために使用される頻出フレーズを、カテゴリーごとに列挙してある。ただ、カテゴリー同士、内容が重なっていることも、収載したフレーズが重複していることも少なくない。また、各カテゴリーは、論文中で出てくる典型的な順序に沿って並べてあるが、この順序は決まっているわけでも、変更不能というわけでもなく、文章に応じて変わるほうが普通だろう。また、どの序論でも、こうした要素がすべて含まれているというわけでもない。

研究論文の序論については、これまでもいろいろな人が共通のパターンを指摘してきた。特によく知られているのが、ジョン・スウェイルズ（1990）が提唱した研究空間創造モデル（CARS model, create a research space model）だろう*。生態学を比喩的に用いたこのモデルでは、最も単純な場合、序論は下記3つの要素ないしムーブ（move）から構成されることになる。

- テリトリーを明確にする（扱うトピックの重要性を明確にする、先行研究をレビューする）

- ニッチを特定する（知識の空白部分がどこに残っているかを示す）
- そのニッチを占有する（新しい研究の目的を列挙する、扱う疑問点を挙げる、研究の価値を述べる、論文の構成を示す）

*Swales, J. (1990). Genre Analysis. Cambridge: Cambridge University Press.

扱う課題の当該分野にとっての重要性を確認する（一般）

A key aspect of X is ...	Xの重要な側面に、…がある。
X is of interest because ...	Xは、…という理由で重要だ。
X is a classic problem in ...	Xは、…での古典的問題だ。
A primary concern of X is ...	Xの主要な関心事に、…がある。
X is a dominant feature of ...	Xは、…の主要な特徴だ。
X is a fundamental property of ...	Xは、…の基本的な特性だ。
Studies on X represent a growing field.	Xについての研究は、成長分野だ。
X is an increasingly important area in...	Xは、…において重要性を増している領域だ。
The concepts of X and Y are central to ...	XやYという概念は、…では中心となる概念だ。
X is at the heart of our understanding of ...	Xは、…をめぐる我々の理解の中心に位置している。
Investigating X is a continuing concern within ...	Xの研究は、…では関心を持たれつづけてきた。
X is a major area of interest within the field of ...	Xは、…の分野では重要な関心領域だ。
X has been studied by many researchers using ...	Xは、…を使用する多くの研究者によって研究されてきた。
X has been the subject of many classic studies in ...	Xは、…分野の多くの古典的研究で研究対象とされてきた。
X has been instrumental in our understanding of ...	Xは、我々が…について理解するうえで欠かせない存在でありつづけてきた。
The theory of X provides a useful account of how ...	Xの理論は、いかに…であるかについての有用な説明となっている。
X has been an important concept in the study of the ...	Xは、…の研究において重要な概念であった。
Central to the entire discipline of X is the concept of ...	X分野全体の中心には、…という概念が位置している。
One of the most significant current discussions in X is ...	Xにおける最近特に有意義な議論のひとつが、…だ。

X has been the subject of much systematic investigation.	Xについては、多くの体系的研究が行われてきた。
The issue of X has received considerable critical attention.	Xという問題は、批判的な意味でかなり注目されてきた。
Understanding the complexity of X is vitally important if ...	Xの複雑さについて理解することは、もし…なのであれば極めて重要だ。
X has long been a question of great interest in a wide range of fields.	Xは、多岐にわたる分野で長年重要な問いでありつづけてきた。
The role of X in Y has received increased attention across a number of disciplines in recent years.	XのYにおける役割については、近年、いくつかの分野を横断するかたちで関心が高まっている。

扱う課題の当該分野にとっての重要性を確認する（時期を特定）

X was one of the most popular Ys during ...	Xは、…の時期には、最もポピュラーなYのひとつであった。
Traditionally, Xs have subscribed to the belief that ...	伝統的に、Xは…という考えに同意してきた。
Over the past century, there has been a dramatic increase in ...	前世紀を通じて、…が劇的に増大した。
Recent trends in X have led to a proliferation of studies that ...	最近のXでの傾向もあって、…を行う研究がたくさん出てきている。
X proved an important literary genre in the early Y community.	Xは、初期のYコミュニティでは重要な文芸ジャンルだった。
X has received considerable scholarly attention in recent years ...	Xは、近年、並々ならぬ研究上の関心を集めてきており、…
In recent years, researchers have shown an increased interest in ...	近年、…に対する研究者の関心が高まっている。
Recently, a considerable literature has grown up around the theme of ...	最近、…というテーマをめぐってかなりの論文が出ている。
Recent developments in the field of X have led to a renewed interest in ...	X分野の最近の進展のおかげで、…に改めて関心が集まっている。
The past thirty years have seen increasingly rapid advances in the field of ...	ここ30年間、…の分野では、加速度的な進展がいくつも見られた。
In the last few decades, there has been a surge of interest in the effects of ...	ここ何十年か、…の効果に対する関心が急激に高まってきた。
For more than a century, scientists have been interested in the existence of ...	科学者は、…の存在について、すでに1世紀以上関心を持ちつづけてきている。

The discovery of X in 1986 has triggered a huge amount of innovative scientific inquiry.	1986年にXが発見されたことで、革新的な科学研究に一気にはずみがついた。
During the last decade, the link between X and Y has been at the center of much attention.	ここ十年、XとYの関連はおおいに注目の的となってきた。

Recently, 最近、 More recently, ごく最近、 In recent years, 近年、	there has been	growing interest in ... …への関心が高まっている。 renewed interest in ... …に再度関心が集まっている。 a surge of interest in ... …への関心が急激に高まっている。 extensive research on ... …が広く研究されている。 increased emphasis on ... …がさらに重要視されるようになっている。 an increasing interest in ... …への関心が高まっている。 growing recognition of the vital links between ... …間に緊密な関係があることが、さらに広く認められてきている。 a growing number of publications focusing on ... …に注目した発表が、ますます増えている。 a greater focus placed upon X within the Y literature. Yをめぐる文献で、Xへの注目が高まっている。 world-wide recognition of the problems associated with ... …に関連した問題が、世界的に認識されるようになっている。

X Xは、	has been	studied widely ⓐ studied extensively ⓑ an object of research ⓒ studied using light-microscopy ⓓ attracting considerable interest ⓔ	since	the 1960s. ❶ it was discovered in 1981. ❷ the early years of this century. ❸
	〔1960年代以来❶／1981年に発見されて以来❷／今世紀初頭以来❸〕、〔広く研究されてⓐ／広範に研究されてⓑ／研究の対象となってⓒ／光学顕微鏡を用いて研究されてⓓ／かなりの関心を集めてⓔ〕きた。			

訳注：本書では、英語と日本語で語順が変わる場合には、語順が変わる位置以降は、原則として対応訳をまとめて示す形式とした。この表と次の表以降の表では、❶❷❸やⓐⓑⓒなどの番号や記号は特に示さない。

扱う課題の社会一般にとっての重要性を確認する（一般）

X is widespread in ...	Xは、…で広まっている。
X is fundamental to ...	Xは、…にとって根底的な存在だ。
X is a major contributor to ...	Xは、…の主因（のひとつ）だ。
X is an important aspect of ...	Xは、…の重要な側面だ。
X is frequently prescribed for ...	Xは、…に処方されることが多い。
X is one of the key components of Y.	Xは、Yの重要な要素のひとつだ。
X is fast becoming a key instrument in ...	Xは、急速に…の重要な手段となりつつある。
X is the most widely distributed species of ...	Xは、…としては最も広く分布している種だ。
Xs have emerged as powerful platforms for ...	Xは、…にとって強力なプラットホームになりつつある。
X is essential for a wide range of technologies.	Xは、広範な技術にとって必須の存在だ。
Xs are the most potent anti-inflammatory agents known.	Xは、既知の抗炎症剤として最も効果の高いものだ。
There is evidence that X plays a crucial role in regulating ...	Xが…の調節で必須の役割を果たしているというエビデンスがある。
X is a common condition which has considerable impact on ...	Xは、…に対してかなりの影響を及ぼすよく見られる症状だ。
In the new global economy, X has become a central issue for ...	新たなグローバル経済で、Xは…をめぐる中心的な問題となった。
Determining the impacts of X on Y is important for the future of ...	XのYに対する影響について判断することは、…の今後にとって重要だ。
Evidence suggests that X is among the most important factors for ...	エビデンスは、Xが…にとって最重要級の要因であることを示している。
X is important for a wide range of scientific and industrial processes.	Xは、科学や産業の多岐にわたるプロセスにとって重要だ。
Xs are one of the most widely used groups of antibacterial agents and ...	Xは、最も広く使用されている一群の抗菌剤であり、…
There is a growing body of literature that recognizes the importance of ...	…の重要性を認める文献が増えてきている。
X is an important component in the climate system, and plays a key role in Y.	Xは気候システムの重要な要素で、Yにおいて中心的役割を果たしている。

Xs were the most serious and widespread popular disturbances to occur in ...	Xは、…において生じた最も深刻かつ広範な民衆暴動だった。
In the history of development economics, X has been thought of as a key factor in ...	開発経済学の歴史では、Xは…での重要な要因と考えられてきた。

X Xは、	plays a ⓐ can play a ⓑ may play a ⓒ	key 鍵となる vital 重要な major 主要な crucial 必須の pivotal 枢要の central 中心的な essential 必須の important 重要な significant 有意な fundamental 根本的な	role in 役割を	ensuring ... …を確実にするうえで果たし〔ているⓐ/うるⓑ/うるかもしれないⓒ〕。 reducing ... …を減らす〜 fostering ... …を育成する〜 combating ... …と闘う〜 preventing ... …を防ぐ〜 determining ... …を判定する〜 protecting against ... …から守る〜 addressing the issue of ... …という問題に取り組む〜 the repair of ... …の修復において果たし〔ているⓐ/うるⓑ/うるかもしれないⓒ〕。 the life cycle of ... …のライフサイクル〜 the treatment of ... …の治療〜 the regulation of ... …の調節〜 the transmission of ... …の伝達〜 the maintenance of ... …の維持〜 the development of ... …の展開〜 the pathogenesis of ... …の病変形成〜

X Xは	is a key …の重要な	part of ...　部分である。 issue in ...　問題である。 driver of ...　動因である。 factor in ...　要因である。 aspect of ...　側面である。 feature of ...　特徴である。 element of ...　要素である。 strategy for ...　戦略である。 indicator of ...　指標である。 ingredient of ...　材料である。 component of ...　構成要因である。 mechanism for ...　機構である。 determinant of ...　決定要因である。

扱う課題の社会一般にとっての重要性を確認する（時期を特定）

One of the most important events of the 1970s was ...	1970年代の重要な出来事としては、…が特筆に値する。
Recent developments in X have heightened the need for ...	Xでの最近の展開によって、…の必要性が高まった。
The last two decades have seen a growing trend toward ...	最近20年ほど、…の傾向が顕著になっている。
Over the past century, there has been a dramatic increase in ...	前世紀を通じて、…が著しく増大した。
Recent trends in X have led to a proliferation of studies that ...	Xでの最近の傾向のせいで、…を行う研究が興隆している。
The past decade has seen the rapid development of X in many ...	この十年間、多くの…でXが急激に発展してきた。
X has experienced unprecedented growth over the past 100 years.	この百年間、Xはこれまでにない成長を遂げた。

重要な問題点を明確にする

X is a key issue in ...	Xは、…での重要課題である。
X is a leading cause of ...	Xは、…の主因（のひとつ）である。
X is a major problem in ...	Xは、…での主要な問題である。
Of particular concern is ...	特に懸念されるのは、…である。

One of the main obstacles ...	主要な障害のひとつが、…であり、…
One of the greatest challenges ...	難題のひとつが、…であり、…
A key issue is the safe disposal of ...	主要な問題は、…を安全に処分することである。
The main disadvantage of X is that ...	Xの主たる弱点は、…である。
X is associated with increased risk of ...	Xには、…のリスク増大がつきものだ。
X impacts negatively upon a range of ...	Xは、さまざまな…に対して負の影響を及ぼす。
X is a common disorder characterized by ...	Xは、…を特徴とする一般的な障害である。
It is now well established that X can impair ...	Xが…を損なうこともあるという点は、現在では十分立証されている。
X has led to the decline in the population of ...	Xのせいで、…の人口減が生じている。
X is a growing public health concern worldwide.	Xは、世界的に、公衆衛生上の懸念となってきている。
The main challenge faced by many researchers is the ...	多くの研究者が直面する主要な難題が、…である。
X is one of the most frequently stated problems with ...	Xは、…をめぐって述べられることが特に多い問題だ。
Lack of X has existed as a health problem for many years.	Xの欠乏は、長年健康問題でありつづけてきた。
X is a major environmental problem, and the main cause of ...	Xは、大きな環境問題であり、…の主因でもある。
Xs are one of the most rapidly declining groups of insects in ...	Xは、…の中でも特に急減しつつある昆虫グループである。
X is the leading cause of death in western-industrialized countries.	Xは、西欧先進諸国での死因の筆頭である。
Despite its long clinical success, X has a number of problems in use.	Xは、長年臨床で成功をおさめてきたものの、使用上の問題がいくつもある。
Exposure to X has been shown to be related to adverse effects in ...	Xへの暴露が、…での有害作用に関係していることが示された。
There is increasing concern that some Xs are being disadvantaged ...	Xの一部が不利をこうむる懸念が高まっており、…
There is an urgent need to address the safety problems caused by ...	…によって生じる安全上の問題について、緊急の取り組みが必要とされている。
Questions have been raised about the safety of the prolonged use of ...	…の長期使用については、安全上の問題が指摘されている。

The prevalence of X is increasing at an alarming rate in all age groups.	Xの流行が、すべての年齢群で驚異的な速さで進行している。
Despite its safety and efficacy, X suffers from several major drawbacks:	安全性や有効性では優れているものの、Xには重大な欠点がいくつかある。つまり、
Along with this growth in X, however, there is increasing concern over ...	とはいえ、Xのこうした成長にともなって、…をめぐる懸念も高まっている。
X is increasingly recognized as a serious, worldwide public health concern.	Xは、いよいよ世界規模の公衆衛生上の重要問題として認識されるようになっている。
X and its consequences are an important, but understudied, cause for concern.	XやXによってもたらされる結果は、重要であるにもかかわらず研究の進んでいない不安要因である。

(However,) （しかし、）	X may cause ... Xは、…を起こしかねない。 X is limited by ... Xには、…という制約がある。 X suffers from ... Xには、…という問題がある。 X is too expensive to be used for ... Xは、…に使用するには費用がかかりすぎる。 X has accentuated the problem of ... Xは、…の問題を悪化させてきた。 the performance of X is limited by ... Xの能力は、…によって限定されている。 X could be a contributing factor to ... Xは、…の原因である可能性がある。 the synthesis of X remains a major challenge. Xの合成は、困難なままである。 X can be extremely harmful to human beings. Xは、人間にとって極めて有害な可能性がある。 research has consistently shown that X lacks ... 研究では、Xが…を欠くことが一貫して示されてきた。 a major problem with this kind of application is ... この種の応用で主に問題になるのは、…だ。 the determination of X is technically challenging. Xの判定は、技術的に困難だ。 current methods of X have proven to be unreliable. Xの現在の方法は、信頼性に欠けることがわかっている。 these rapid changes are having a serious effect on ... こうした急速な変化は、…に対して深刻な影響を及ぼしている。 X can be adversely affected under certain conditions. Xは、特定の条件では悪影響を受けるかもしれない。 accounting for these varying experiences is problematic. 経験に、このようなばらつきがあることについて説明するのは難しい。 observations have indicated a serious decline in the population of ... 観察によって、…の個体数の深刻な減少が示された。

文献を概括する

Recent evidence suggests that ...	最近のエビデンスは、…を示している。
Extensive research has shown that ...	広範な研究によって、…が示された。
Studies of X show the importance of ...	Xをめぐる研究は、…の重要性を示している。
It has previously been observed that ...	…であることが、以前に観察されている。
Several attempts have been made to ...	…するために、いくつかの試みが行われている。
Data from several studies suggest that ...	いくつかの研究で得られたデータは、…であることを示している。
Previous research has established that ...	先行研究で、…であることが確実になった。
Recent work by historians has established that ...	歴史家による最近の研究で、…が立証された。
Previous research comparing X and Y has found ...	XとYを比較する先行研究で、…が見出された。
The existing body of research on X suggests that ...	Xをめぐるこれまでの研究の蓄積によって、…が示唆されている。
There is a growing body of literature that recognizes ...	…を認める文献が増えている。
Several theories on the origin of X have been proposed.	Xの起源をめぐる理論が、いくつか提唱されている。
Existing research recognizes the critical role played by ...	既存の研究は、…が果たす必須の役割を認めている。
It is now well established from a variety of studies, that ...	現在では、各種の研究によって、…が十分立証されている。
Recently investigators have examined the effects of X on Y.	最近、研究者たちが、XがYに及ぼす影響について調べた。
Surveys such as that conducted by Smith (1988) have shown that ...	Smithによる調査(1988)をはじめとする諸調査で、…が示された。
Factors found to be influencing X have been explored in several studies.	Xに影響を与えることがわかっている諸要素が、いくつかの研究で探究されている。
A number of cross-sectional studies suggest an association between X and Y...	いくつもの横断的研究が、XとYの関連を示しており、…
Studies over the past two decades have provided important information on ...	過去20年にわたる研究の結果、…をめぐる重要な情報が得られた。

A considerable amount of literature has been published on X. These studies ...	Xについては相当量の文献が公表されている。こうした研究からは、…
In the past two decades, a number of researchers have sought to determine ...	この20年間、何人もの研究者が…を決定しようとしてきており、…
In previous studies of X, different variables have been found to be related to ...	Xについてのこれまでの研究で、いくつもの異なる変数が…に関係することがわかっている。
The first serious discussions and analyses of X emerged during the 1970s with ...	最初にXが真剣に議論・分析されたのは、1970年代のことで、…と一緒だった。
There have been a number of longitudinal studies involving X that have reported ...	Xを含む縦断的研究がいくつも行われ、そうした研究では…が報告されている。
Xs were reported in the first studies of Y (e.g. Smith, 1977; Smith and Jones, 1977).	Xは、Yについて実施された最初の一連の研究(たとえばSmith, 1977; Smith and Jones, 1977)で報告されている。
What we know about X is largely based upon empirical studies that investigate how ...	Xについて私たちが知っていることの大半は、どのように…かを調べた実証的研究の数々に基づいている。
Smith (1984: 217) shows how, in the past, research into X was mainly concerned with ...	Smith(1984: 217)は、Xをめぐる研究が、これまでいかに…と主に関わるかたちで行われてきたかを示している。
Results from earlier studies demonstrate a strong and consistent association between ...	先行研究の結果は、…間の強力かつ着実な関連性を実証している。
There are a large number of published studies (e.g. Smith, 2001; Jones, 2005) that describe ...	…について記述している公表された研究は多数存在する(たとえばSmith, 2001; Jones, 2005)。

It has been	noted that ... …であると言及されている。 argued that ... …であると論じられている。 shown that ... …であると示されている。 reported that ... …であると報告されている。 assumed that ... …であると想定されている。 observed that ... …であると観察されている。 proposed that ... …であると提案されている。 estimated that ... …であると推定されている。 suggested that ... …であると示唆されている。 established that ... …であると立証されている。 demonstrated that ... …であると実証されている。 conclusively shown that ... …であることが最終的に示されている。

Recent 最近の Previous 従来の	studies have research has 研究で、	found ... …が見つかっている。 linked ... …が関係づけられている。 reported ... …が報告されている。 shown that ... …であると示されている。 documented ... …が報告されている。 demonstrated ... …が実証されている。 established that ... …であると立証されている。

<table>
<tr>
<td>Several

A number of
〔いくつかの／何人かの〕</td>
<td>studies
研究が

researchers
研究者が</td>
<td>have</td>
<td>found ... …を見出している。
reported ... …を報告している。
identified ... …を特定している。
shown that ... …であることを示している。
attempted to ... …を試行している。
demonstrated that ... …であることを実証している。
investigated whether ... …かどうかを調査している。
found an association between ...
…間の関連を見出している。
explored risk factors associated with ...
…に関連する危険因子を探究している。</td>
</tr>
</table>

<table>
<tr>
<td>What</td>
<td>we know
about X

is known
about X</td>
<td>comes from

is (largely)
based on

is (largely)
derived from</td>
<td rowspan="2">accounts by ...
…による記述によって得られたものだ。
observations of ...
…の観察～
laboratory studies.
実験室での研究～
outdated studies.
時代遅れの研究～
historical data from ...
…由来の歴史的データ～
epidemiological studies.
疫学研究～
brief biographical details.
簡潔な伝記的記載～
cross-sectional studies of ...
…についての横断的研究～
studies of people living in ...
…の居住者についての研究～
case studies undertaken in ...
…で実施された事例研究～
contemporary textual sources.
同時代のテキスト資料～
small-scale experiments with ...
…を用いた小規模実験～
research using laboratory animals.
実験動物を使用した研究～
research undertaken in major cities.
主要都市で実施された研究～
a few primary sources from the time.
その時期の一次資料のいくつか～
studies conducted in populations of X.
Xの集団で実施された研究～
observations using various animal models.
各種動物モデルを使用した観察～</td>
</tr>
<tr>
<td colspan="2">Xについて知られている事柄は、</td>
<td>（主に）</td>
</tr>
</table>

当該研究分野における論争の存在を明確にする

A much debated question is whether ...	議論されることが多かったのは、…かどうかという問いである。
Debate has long prevailed as to whether ...	…かどうかについては、長年論争が続いてきた。
The precise effect of X is a much-debated topic.	Xの正確な影響というのは、ずいぶん議論されてきたトピックだ。
One major issue in early X research concerned ...	Xをめぐる初期の研究で、…は主要な問題であった。
To date there has been little agreement on what ...	現在に至るまで、何が…なのかについては、ほとんど一致が見られていない。
The issue has grown in importance in light of recent ...	最近の…にかんがみ、この問題はますます重要になっている。
There has been disagreement on the criteria for defining X.	Xを定義する際の基準については、意見の相違がある。
In the literature on X, the relative importance of Y is debated.	Xについての文献では、Yの相対的な重要性が議論されている。
One observer has already drawn attention to the paradox in ...	…におけるパラドックスについては、すでに注目している観察者がいる。
Questions have been raised about the use of animal subjects in ...	動物を…に使うことについては、疑問が投げかけられている。
In many Xs, a debate is taking place between Ys and Zs concerning ...	多くのXでは、…に関してYZ間の論争が生じている。
Debate continues about the best strategies for the management of ...	…をマネージメントするための最良の戦略をめぐって、論争が続いている。
There has been much division between historians on the subject of ...	…という問題をめぐっては、歴史家の間でかなり意見が分かれてきた。
This concept has recently been challenged by X studies demonstrating ...	この概念は、最近、…を示すX研究によって問題とされている。
The debate about X has gained fresh prominence with many arguing that ...	Xをめぐる論争は、多くの人々が…と論じたことで新たに注目を集めている。
Scholars have long debated the impact of X on the creation and diffusion of ...	研究者たちは、Xが…の創造と拡散に及ぼすインパクトについて長年議論してきた。
More recently, literature has emerged that offers contradictory findings about ...	最近になって、…について相矛盾する知見を示す文献が見つかった。
One of the most significant current discussions in legal and moral philosophy is ...	法哲学ならびに道徳哲学で現在最も重要な議論に、…がある。

The relationship between X and Y has attracted conflicting interpretations from ...	XY間の関係性が、…からの相対立する解釈を招いた。
One major theoretical issue that has dominated the field for many years concerns ...	この分野を長年支配してきた理論上の主要問題のひとつが、…に関するものだ。
The controversy about scientific evidence for X has raged unabated for over a century.	Xの科学的根拠をめぐる論争は、1世紀以上にわたって衰えを見せない。
The issue of X has been a controversial and much disputed subject within the field of ...	X問題は、…分野では、論争になってずいぶん議論された話題である。
Several divergent accounts of X have been proposed, creating numerous controversies.	Xについては、相異なる説明がいくつも提案され、多くの論争が生じている。
The causes of X have been the subject of intense debate within the scientific community.	Xの原因については、科学コミュニティ内で活発に議論されてきた。
In the literature on X, the relative importance of Y has been subject to considerable discussion.	Xについての文献では、Yの相対的重要性をめぐってかなりの議論がなされてきている。

So far To date これまでのところ	there has been little agreement	on about	what ...　何が…なのかについてはほとんど一致をみていない。 how to ...　どのように…するか〜 whether ...　…かどうか〜 how much ...　どのくらい…か〜 the role of ...　…の役割〜 the origin of ...　…の起源〜 the nature of ...　…の性質〜 the definition of ...　…の定義〜 what constitutes ...　何が…を構成しているのか〜 the characteristics of ...　…の特徴〜 the precise nature of ...　…の詳しい性質〜 how best to measure ...　どうするのが…を測定するうえで最適か〜 how to conduct research on ...　どのように…の研究を行うか〜 the important question of why ...　なぜ…なのかという重要な問い〜

先行研究や学識に一般的に言及する（先行研究が少ないことを明確にする）

No previous study has investigated X.	Xを扱った先行研究はない。
The use of X has not been investigated.	Xの使用については、研究されていない。
There is little published information on ...	…についての公表された情報はほとんどない。
There is very little published research on ...	…についての公表された研究はほとんどない。
There has been no detailed investigation of ...	…についての詳しい研究はまだない。

There has been little quantitative analysis of ...	…についての定量的な分析はほとんどない。
Data about the efficacy and safety of X are limited.	Xの有効性と安全性についてのデータは、限定されている。
Up to now, far too little attention has been paid to ...	これまで、…に対する関心があまりに低すぎた。
A search of the literature revealed few studies which ...	文献検索では、…を行った研究はわずかしか見つからなかった。
The impact of X on Y is understudied, particularly for ...	XのYに対する影響は、特に…については、研究が不十分である。
So far, however, there has been little discussion about ...	とはいえ、これまでのところ、…についての議論はほとんどなされていない。
In addition, no research has been found that surveyed ...	また、…を調べた研究は見つかっていない。
Surprisingly, the effects of X have not been closely examined.	意外にも、Xの影響については詳しく調べられていない。
Surprisingly, X is seldom studied and it is unclear to what extent ...	意外にも、Xについてはほとんど研究されておらず、どの程度まで…なのかはよくわかっていない。
In contrast to X, there is much less information about effects of ...	Xとは異なり、…の影響についての情報はずっと少ない。
X has hitherto received scant attention by scholars of the Y period.	Xは、Y期の研究者から、これまでほとんど注目されてこなかった。
A systematic understanding of how X contributes to Y is still lacking.	XがいかにYに貢献しているのかについては、いまだに体系的に理解されていない。
Relatively little research has been carried out on X, and even less on Y.	Xについての研究は比較的少なく、Yについての研究はさらに少ない。
While X is a growing field (Smith, 2015), publications on Y remain few.	Xは成長分野だが(Smith, 2015)、Yについての文献は少ないままだ。
Despite the importance of X, there remains a paucity of evidence on ...	Xの重要性にもかかわらず、…についての根拠は不十分なままだ。
There have been no controlled studies which compare differences in ...	…の差を比較する対照研究はまだない。
The issue of X has attracted very little attention from the scholarly community.	X問題に対して、学術コミュニティはほとんど関心を持ってこなかった。
To date, the problem of X has received scant attention in the research literature.	これまでのところ、研究文献では、X問題はほとんど注目されてこなかった。

To date, no large-scale studies have been performed to investigate the prevalence of ...	これまで、…の有病率を調べる大規模研究は実施されていない。
Although studies have recognized X, research has yet to systematically investigate the effect of ...	諸研究によってXが認識されたにもかかわらず、…の影響を体系的に調べる研究はまだ行われていない。

To date, これまでのところ、 Surprisingly, 意外にも、	X Xは	has (still) not (yet) been (まだ)	closely 詳しくは formally 正式には empirically 経験的(実証的)手法では extensively 広範には scientifically 科学的には systematically 体系的には comprehensively 網羅的には	studied. examined. investigated. 〔研究されていない／調べられていない〕。

There is a	current 現在、 relative 相対的に、 general 一般的に、 notable 顕著に、 surprising 意外にも、	paucity	of studies of well-controlled studies	investigating ... describing how ... that seek to identify predictors of ...
			〔…について調べた／どのように…かについて記述した／…の予測因子を特定せんとする〕〔研究／対照事例を十分含む研究〕は不十分である。	
			of empirical research of high-quality research	in the field of ... focusing specifically on ... on the current prevalence of ...
			〔…分野では／…に特に焦点を絞った／…の現在の流行についての〕〔経験的(実証的)手法による研究／高品質の研究〕は不十分である。	
			of scientific literature of evidence-based literature	specifically relating to ... on the experiences of ... describing the impact of ...
			〔…に具体的に関連した／…の経験をめぐる／…のインパクトを記載した〕〔科学文献／エビデンスに基づく文献〕は不十分である。	

(Very) few studies have Few (published) studies have	explored ... …について探究した〔研究は(極めて)少ない／(公表済みの)研究は少ない〕。 focused on ... …を中心に扱った〜 controlled for ... …について対照を設けた〜 examined how ... どのように…かについて調べた〜 compared trends in ... …についての傾向を比較した〜 attempted to define ... …の定義を試みた〜 examined the role of ... …の役割について調べた〜 measured X in humans. 人でXを計測した〜 quantified the levels of ... …のレベルを定量化した〜 systematically investigated ... …について体系的に調べた〜 assessed the implications of ... …が持つ意味について評価した〜 evaluated the effects of X on ... …に対するXの影響を評価した〜 examined the consequences of ... …の結果について吟味した〜 actually examined the impact of ... …のインパクトを実際に吟味した〜 provided quantitative evidence of ... …についての定量的な根拠を提示した〜 systematically evaluated the use of ... …の使用について体系的に評価した〜 attempted to quantify the impact of ... …のインパクトの定量化を試みた〜 adequately tested the effectiveness of ... …の有効性を妥当なかたちで検証した〜 addressed the long-term psychological effects of ... …の長期にわたる心理面での影響を扱った〜 been large enough to provide reliable estimates of ... …についての信頼できる推定値を得られるような十分な規模の〜 been conducted to determine the possible effects of ... …が及ぼす可能性のある影響の数々について判断するために行われた〜

<table>
<tr><td rowspan="6">So far,
To date,
Up to now,
これまでのところ、</td><td>there</td><td>has been no systematic analysis of ...
have been no attempts to examine ...
has been very little research directly investigating X.
have been very few empirically published accounts of X.</td></tr>
<tr><td colspan="2">[…についての体系的分析は／…について吟味する試みは／直接Xについて調べる研究はほとんど／Xについて実証的手法で公表された説明はほとんど]行われていない。</td></tr>
<tr><td>(very) little</td><td>research has been carried out on ...
has been published on the subject of ...
attention has been paid to the role of ...
research has addressed the question of ...</td></tr>
<tr><td colspan="2">[…について実施した研究は／…を対象とした公表された研究は／…の役割への注目度は／…という問いに取り組んだ研究は](極めて)[少ない／低い]。</td></tr>
<tr><td>(very) few</td><td>studies have assessed the role of ...
studies have examined the association between ...
studies have investigated X in any systematic way ...
randomized clinical trials have specifically investigated X in ...</td></tr>
<tr><td colspan="2">[…の役割を評価した研究は／…間の連携について調べた研究は／Xについて何か体系的なやり方で調べた研究は／…におけるXを特に調べた無作為臨床試験は](極めて)少ない。</td></tr>
</table>

<table>
<tr><td rowspan="2">Relatively
Surprisingly
Remarkably
Comparatively</td><td>few</td><td>studies have</td><td rowspan="2">analyzed ...
assessed ...
examined ...
measured ...
investigated ...</td></tr>
<tr><td>little</td><td>research has</td></tr>
<tr><td colspan="4">…を[分析／評価／吟味／測定／調査]した研究は、[相対的に／意外に／はなはだ／比較的]少ない。</td></tr>
</table>

<table>
<tr><td rowspan="2">While
Whilst
Although</td><td>some research has been carried out on X,
Xについて調べた研究はいくつかあるが、</td><td rowspan="2">no single study exists which ...
…を行った研究はひとつも存在しない。
no studies have been found which ...
…であるような研究は見当たらない。
no controlled studies have been reported.
対照研究は報告されていない。
there is very little scientific understanding of ...
…の科学的理解はほとんど進んでいない。
only two studies have attempted to investigate ...
…を調べようとした研究は2つしかない。
there have been few empirical investigations into ...
…の実証的な研究は数少ない。
the mechanism by which ... has not been established.
…をもたらすようなメカニズムは立証されていない。
little if any empirical work has been done to investigate ...
…を調べる実証的な研究はほとんどといってよいほどなされていない。</td></tr>
<tr><td>several studies have shown that ...,
…であることを示した研究はいくつかあるが、</td></tr>
</table>

先行研究の不適切点や弱点を明確にする（「批判的態度で臨む際の表現」p.136も参照）

Previous studies of X have not dealt with ...	Xについての先行研究は、…を扱ってこなかった。
Researchers have not treated X in much detail.	研究者は、Xのことをあまり詳しく扱ってこなかった。
Such expositions are unsatisfactory because they ...	こうした説明は、…という理由で不十分である。
Such approaches, however, have failed to address ...	しかし、こうしたアプローチでは…に取り組むことができなかった。
Most studies in the field of X have only focused on ...	X分野の研究は、大半が…のみに注目してきた。
Previous published studies are limited to local surveys.	これまでに公表されている研究は、ローカルな調査に限定されている。
Half of the studies evaluated failed to specify whether ...	評価を行った研究の半数は、…かどうかを特定できていなかった。
The research to date has tended to focus on X rather than Y.	これまでの研究は、YよりむしろXに注目しがちだった。
Previously published studies on the effect of X are not consistent.	Xの効果を扱ったこれまでに公表されている研究は、一貫しているとはいえない。
Smith's analysis does not take account of ..., nor does she examine ...	Smithの分析は、…を考慮しておらず、…についても調べていない。
The existing accounts fail to resolve the contradiction between X and Y.	既存の説明では、XY間の矛盾は解決できない。
Most studies of X have only been carried out in a small number of areas.	Xについての研究の大半は、少数の領域でしか行われていない。
However, much of the research up to now has been descriptive in nature ...	とはいえ、これまでの研究は大半が本質的に記述的であり、…
The generalizability of much published research on this issue is problematic.	この問題を扱った公表済みの多くの研究は、一般化できるかどうかという点で問題がある。
Research on the subject has been mostly restricted to limited comparisons of ...	このテーマをめぐる研究は、おおむね、…についての限定的な比較に限られてきた。
However, few writers have been able to draw on any systematic research into ...	とはいえ、…についての体系的研究を利用できた執筆者はほとんどいない。
Short-term studies such as these do not necessarily show subtle changes over time ...	これらのような短期研究は、必ずしも微妙な経時変化を示すとは限らず、…

Although extensive research has been carried out on X, no single study exists which ...	Xについては広範な研究が行われているが、…した研究はひとつもない。
However, these results were based upon data from over 30 years ago and it is unclear if ...	とはいえ、こうした結果は30年以上前のデータに基づくもので、…かどうかは明瞭ではない。
The experimental data are rather controversial, and there is no general agreement about ...	実験データはむしろ矛盾しており、…については全体としての一致をみていない。
However, all the previous X research was cross-sectional in design. Therefore, it is unclear if ...	とはいえ、従来のX研究はいずれも横断的に計画された研究であった。したがって、…かどうかははっきりしない。
Although there are many reports in the literature on the outcome of X, most are restricted to ...	Xの結果については多くの報告が文献に記載されているが、大半は…に限定されている。
Some evidence suggests that ..., although further work using X is required to confirm this finding.	この知見を確認するにはXを使用したさらなる研究が必要ではあるが、いくつかのエビデンスは…であることを示している。

The existing literature on X Xについての既存の文献は、 Most of the work carried out on X Xを対象とした研究の大半は、	fails to ... …を実施していない。 suffers from ... …という欠点がある。 lacks clarity regarding ... …についての明瞭さに欠ける。 ignores the possibility that ... …という可能性を無視している。 has not distinguished between X and Y in a systematic fashion. XとYを体系的なかたちで区別していない。

Previous studies これまでの研究は、	have failed to	consider	the impact of ... …のインパクトについて考慮してこなかった。 the reasons for ... …の理由〜 the evidence for ... …の根拠〜 the ways in which ... …であるようなやり方〜 the contexts in which ... …であるような背景状況〜 several key aspects of ... …のいくつかの主要側面〜 the variable nature of ... …の不安定な性格〜 other explanations for ... …についての別の説明〜 the complex nature of ... …の複雑な性格〜 the potential impact of ... …が潜在的に持つインパクト〜 the social dimension of ... …の社会的次元〜 the dynamic aspects of ... …の動的な側面〜

			the underlying causes of ... …の背景にある原因〜 all the possible effects of ... …の効果として可能性のあるものすべて〜 demographic factors that ... …であるような人口学的要因〜 the ethical implications of ... …の倫理的な意味〜 the important role played by ... …が果たす重要な役割〜 the broader implications of how ... どのように…かということの持つ広い意味〜 the unique complexities faced by ... …が直面する独特の複雑さ〜 the contextual factors that influence ... …に影響する前後関係の要素〜

Previous studies (of X) （Xについての）先行研究は、 Most of these studies こうした研究の大半は、	have	mostly　おおむね mainly　主に largely　大部分は typically　典型的には generally　一般に predominantly　大部分は	ignored ... …を無視してきた。 examined ... …を調べてきた。 focused on ... …に注目してきた。 concentrated on ... …に集中してきた。 been concerned with ... …にかかわるものであった。

Previous studies (of X) （Xについての）先行研究は、 Most of these studies こうした研究の大半は、	have suffered from 困ったことに、	small sample sizes. サンプル数が少なかった。 low response rates. 回答率が低かった。 multiple design flaws. デザイン上の欠陥が複数あった。 an overemphasis on ... …に重きを置きすぎていた。 inconsistent definitions. 定義が一貫していなかった。 inadequate sample sizes. サンプル数が不適切だった。 poorly developed theory. 理論の展開が貧弱だった。 methodological limitations. 方法論上の制約があった。 a lack of clarity in defining ... …を定義するにあたって明瞭性を欠いていた。 serious sampling problems. 深刻なサンプリング上の問題があった。

		experimental design errors. 実験計画に誤りがあった。 poor case control matching. 症例対照の対応が不十分だった。 inadequate research design. 研究デザインが不適切だった。 serious methodological flaws. 方法論に深刻な欠陥があった。 a high degree of sampling bias. サンプリングの偏りが大きかった。 lack of instrumental sensitivity. 機器類の感度が不十分だった。 considerable design limitations. 計画上の制約がかなりあった。 the use of poorly matched controls. 対応が不十分な対照を使用していた。 a paucity of standardized measures. 標準化された尺度が不足していた。 notable methodological weaknesses. 方法論的弱点が目立っていた。 fundamental flaws in research design. 研究計画に根本的欠陥があった。 lack of a strong theoretical framework. 強力な理論的枠組みを欠いていた。 an over-reliance on self-report methodology. 自己報告という方法論に過度に頼っていた。 a restricted range of methodological approaches. 方法論的アプローチの範囲が限られていた。 shortcomings in the methods used to select cases. 事例を選択する方法に欠点があった。 a lack of well-grounded theoretical considerations. 十分な根拠のある理論的考察を欠いていた。 several conceptual and methodological weaknesses. 概念的、方法論的弱点がいくつかあった。

Previous studies (of X) （Xについての）先行研究は、 Most of these studies こうした研究の大半は、	have	only involved ... …のみを扱っていた。 only been carried out in ... …でしか実施されてこなかった。 only been undertaken using ... …を使用するかたちでしか実施されてこなかった。 only provided weak evidence for ... …についての弱い根拠しか提供してこなかった。 been of poor quality. 質が低かった。 been limited in a number of ways. いくつもの意味で制限があった。 been limited to convenience samples. 便宜的標本に限られていた。

		been limited to a small number of cases. 扱った事例が少数に限定されていた。 generally been restricted to the analysis of ... 総じて…の分析に限定されてきた。 mainly been restricted to epidemiological observations. 主に疫学的観察に限定されてきた。

No previous study has 先行研究はいずれも、	controlled for ...　…について対照を設けてこなかった。 been large enough to ...　…するうえで十分な規模ではなかった。 completely eliminated ...　…を完全には除外してこなかった。 distinguished between ...　…間を区別してこなかった。 provided information on ...　…についての情報を提供してこなかった。 addressed the question of ...　…という問いを取り扱ってこなかった。 assessed the occurrence of ...　…の発生の有無を評価してこなかった。 used a dynamic measure of ...　…という動的手段を使用してこなかった。 given sufficient consideration to ...　…を十分考慮してこなかった。 employed time-series techniques for ...　…について時系列的手法を用いてこなかった。 utilized verbal reports to examine the problem of ... …の問題を調べるにあたって口頭報告を用いてこなかった。 used a method for analyzing multiple factors related to ... …関連の多因子を分析する方法を使ってこなかった。

先行研究や学識に一般的に言及する（その結果に問題があることを明確にする）

Previous studies have failed to 先行研究は、	find show demonstrate	a link between ... …間の関連を〔見つけられなかった／示せなかった／実証できなかった〕。 any treatment effect. 治療の効果～ a connection between ... …間のつながり～ significant differences in ... …での有意な違い～ any convincing evidence of ... …の説得力ある根拠～ a causal relationship between ... …間の因果関係～ any support for the X hypothesis. X仮説の裏づけとなるもの～ any significant advantages of using ... …を使用することに有意な利点～ significant changes in health outcomes. 健康上の結果についての有意な変化～ reliable, repeatable therapeutic effects of ... …についての信頼性と再現性のある治療効果～

Recent studies have 最近の研究は、 The research to date has これまでの研究は、	not been able to	establish ...　…を立証できていない。 confirm earlier ...　これまでの…を確認～ determine whether ...　…かどうかを決定～ show a link between ...　…間の関連を提示～ duplicate these results.　こうした結果を再現～ reproduce these findings.　こうした知見を再現～ replicate these associations.　こうした関連を再現～ rule out the possibility that ...　…である可能性を除外～ provide robust evidence for ...　…についての確固たる根拠を提示～ detect an increase in the risk of ...　…のリスク増大を検知～ confirm earlier findings showing ...　…を示す先行知見を確認～

研究分野における未解明領域の存在を明確にする

It is still not known whether ...	…かどうかはまだわかっていない。
... much less is known about X.	…、Xについては、わかっていることがずっと少ない。
Evidence for X has been mixed.	Xのエビデンスは混同されてきた。
The nature of X remains unclear.	Xの本質は不明瞭なままだ。
(Very) little is known about X in ...	…でのXについてはほとんど（まったくといってよいほど）知られていない。
What is less clear is the nature of ...	さらに不明瞭なのが、…の本質である。
What is not yet clear is the impact of X on ...	まだはっきり判明していないのが、Xの…への影響である。
There is still uncertainty, however, whether ...	とはいえ、…かどうかについては、まだ不確定な部分がある。
The response of X to Y is not fully understood.	XのYに対する反応については、十分わかっていない。
Causal factors leading to X remain speculative.	Xに至った原因については、推測の域をでない。
To date, there has been no reliable evidence that ...	これまでのところ、…だという信頼できる根拠はない。
The neurobiological basis of this X is poorly understood.	このXの神経生物学的背景については、ほとんどわかっていない。
Little is known about X and it is not clear what factors ...	Xについてはほとんど知られておらず、どんな要因が…なのかははっきりしていない。
To date, only a limited number of Xs have been identified.	これまでのところ、Xは限られた数しか特定されていない。
Much uncertainty still exists about the relationship between ...	…間の関係については、まだまだ不確実な部分がある。

To date, studies investigating X have produced equivocal results.	これまでのところ、Xについての研究ではあいまいな結果が得られている。
The evidence that X and Y are associated with Z is weak and inconclusive.	XとYがZと関連しているという論拠は脆弱で、確定的とはいえない。
This indicates a need to understand the various perceptions of X that exist among ...	このことは、…に存在するXについての各種の見方を理解しておく必要性を示唆している。
It is now well established that ... However, the influence of X on Y has remained unclear.	現在、…ということは十分立証されている。しかし、XのYに対する影響は不明瞭なままだ。
Some studies have shown the beneficial effects of ..., but others have shown a deterioration in ...	…の有利な影響を明らかにした研究もあるが、…の悪化を示したものもある。

To date, (however), there has been	no little	clear solid reliable definitive empirical convincing conclusive experimental	evidence that ...
（しかし）これまでのところ、	…であるような〔明瞭な／確実な／信頼できる／確定的な／経験的（実証的）な／説得力ある／決定的な／実験による〕根拠は、まだ〔ない／ほとんどない〕。		

However,	what is not yet	clear known understood	is whether ...　…かどうかについてである。 is the role of ...　…の役割～ is the effect of ...　…の影響～ is the nature of ...　…の性質～ is the importance of ...　…の重要性～ is the extent to which ...　どこまで…か～ is the degree to which ...　どの程度…か～ is the actual proportion of ...　…の実際の割合～ are the different stages of ...　…の各段階～ are the circumstances that ...　…である環境～ is the actual relationship between ...　…間の実際の関係～ is the relative importance of the various factors that ...　…である各種要因の相対的な重要性～
ちなみに、	まだ〔明らかになって／わかって／理解されて〕いないのは、		

What remains まだ	unclear unknown 〔明らかになって／わかって〕いないのは、	(, however,) （、ちなみに、）	is why ... なぜ…なのかである。 is how ... どのように…なのかである。 is precisely how ... 詳しくはどのように…なのかである。

			is to what degree there exists ... …がどの程度まで存在しているかである。 is how different species are distributed in ... それぞれの種が…でどのように分布しているかである。 is how such policies and practices affect the ... そうした政策や実践が…にどのように影響するかである。 is whether these two systems interact. これら2つのシステムが相互に作用しているかどうかである。 is whether the two conditions are related. これら2つの状態が関連しているかどうかである。 is whether these two factors operate independently. これら2つの要因が独立に作用しているかどうかである。 is whether or not this finding is a true representation. この知見が事象を正しく表しているかどうかである。

However, しかし	(exactly) how （正確なところ、）どのように	X affects Y XがYに影響するのかは X inhibits Y XがYを阻害するのかは X develops Xが発生（展開）するのかは X is formed Xが形成されるのかは X acquires Y XがYを獲得するのかは X damages Y XがYに損傷を与えるのかは X produces Y XがYを生成するのかは X increases Y XがYを増大させるのかは X influences Y XがYに影響を与えるのかは X benefits from Y XがYから恩恵を受けるのかは X contributes to Y XがYに貢献するのかは	remains unclear. はっきりしないままだ。 remains poorly understood. ほとんどわからないままだ。 is (still) not yet fully understood. （まだ）十分にはわかっていない。

The extent to which どこまで	X affects Y XがYに影響するのかは X inhibits Y XがYを阻害するのかは X influences Y XがYに影響を与えるのかは X moderates Y XがYを緩和するのかは X determines Y XがYを決定しているのかは	is (still) （まだ） remains まだ	unclear. はっきりしない。 unknown. わかっていない。 poorly understood. ほとんどわかっていない。

	X is related to Y XがYと関連しているのかは X plays a role in Y XがYにおいて役割を果たすのかは X benefits from Y XがYから恩恵を得るのかは X contributes to Y XがYに貢献するのかは X changes during ... Xが…の間に変わるのかは X can be applied to ... Xが…に適用可能なのかは X presents a risk to Y XがYに対するリスクとなるのかは X corresponds with Y XがYと対応しているのかは X may be attributed to Y XがYのせいだといえるのかは X has been successful in ... Xが…で成功しているのかは X can be extrapolated to ... Xが…に外挿できるのかは the problem of X is facilitated by Y Xの問題がYによって改善されるのかは these findings have wider relevance こうした知見が広い関連性を持つのかは lack of X is causally associated with Y Xの欠如にYとの因果関係があるのかは		

However, しかし、	several a number of いくつかの	key 核となる further さらなる critical 枢要の essential 必須の additional さらなる important 重要な interesting 興味深い unresolved 未解決の unanswered 答えの出ていない fundamental 根本的な	questions remain about 問いが、	the role of ... …の役割をめぐって残っている。 the nature of ... …の本質〜 the effects of ... …の影響〜 the aftermath of ... …のその後〜 the treatment for ... …の処理〜 the development of ... …の展開〜

短報において研究の焦点、目的、議論を示す

In this paper, I argue that ...	この論文では、私は…であると論じるものだ。
This paper has four key aims. Firstly, ...	この論文には主要目的が4つある。第一に…
The central thesis of this paper is that ...	この論文の中心テーマは…である。
In the pages that follow, it will be argued that ...	以下のページでは、…であると論じることになる。
In this essay, I attempt to defend the view that ...	この小論では、…という見方を擁護するつもりだ。
Specifically, the following issues will be addressed:	具体的には、以下の問題を扱うことになる。すなわち、
Secondly, the study aims to assess the extent to which ...	第二に、この研究は、どこまで…であるかについて評価することを目的とする。

This paper この論文では、	argues that ... …であると議論する。 gives an account of ... …について説明する。 discusses the case of ... …の件について議論する。 analyses the impact of ... …の影響について分析する。 attempts to show that ... …であることを示そうとするものである。 contests the claim that ... …という主張に異議を申し立てる。 provides an overview of ... …の概要を示す。 reviews the evidence for ... …の根拠について概括する。 reports on a study which ... …であるような研究について報告する。 addresses the question of ... …という問いについて取り扱う。 presents new evidence for ... …の新たな根拠を示す。 traces the development of ... …の展開を追う。 explores the ways in which ... …であるような方法について探究する。 assesses the significance of ... …の重要性について評価する。 highlights the importance of ... …の重要性を強調する。 considers the implications of ... …が持つ意味について考察する。 evaluates the effectiveness of ... …の有効性を評価する。 critically examines the view that ... …という見解を批判的に検討する。 proposes a new methodology for ... …についての新たな方法論を提案する。 surveys recent empirical studies on ... …についての最近の実証的な研究について広く調べる。 examines the relationship between ... …間の関係を調べる。 compares the different ways in which ... …であるような各種の方法を比較する。 offers a new model for understanding ... …について理解するための新たなモデルを提供する。 investigates the factors that determine ... …を決定する要因について研究する。 describes the design and implementation of ... …のデザインと実装について説明する。 seeks to remedy these problems by analyzing the literature of ... …の文献を分析することで、こうした問題を改善することをめざす。

The (primary) aim of this paper is to この論文の（主たる）目的は、	explore the ... …を探究することだ。 trace the history of ... …の歴史を追跡することだ。 assess the claim that ... …という主張について評価することだ。 review recent research into the ... …についての最近の研究をレビューすることだ。 explore the relationship between ... …間の関係を調査することだ。 contribute to the understanding of ... …についての理解に貢献することだ。 provide empirical evidence for the claim that ... …という主張についての実証的な根拠を提示することだ。 propose a conceptual theoretical framework based on ... …に基づく概念的な理論枠組みを提唱することだ。

The aim of this paper is to この論文の目的は、	critically 批判的に	analyze the effects of ... …の影響を分析することだ。 examine the claim that ... …という主張を吟味することだ。 review the evidence for ... …のエビデンスを検討することだ。 examine the ways in which ... …であるようなやり方を検討することだ。 review the different approaches used to ... …に使用する各種のアプローチを検討することだ。 evaluate the rationale behind X's theory of ... …をめぐるXの理論の背景にある原理的説明を評価することだ。 discuss some of the prominent ideas which ... …であるような卓越した発想のいくつかについて検討することだ。

研究目的を述べる

The specific objective of this study was to ...	この研究の具体的目的は、…することであった。
An objective of this study was to investigate ...	この研究の目的は、…を調べることであった。
This thesis will examine the way in which the ...	この学位論文では、…であるような方法について検討する。
This study set out to investigate the usefulness of ...	この研究では、…の有用性について調べる作業に着手した。
This dissertation seeks to explain the development of ...	この学位論文は、…の展開について説明しようとするものだ。
This case study seeks to examine the changing nature of ...	この事例研究は、…の変化しつつある性質について検討するものである。

The objectives of this research are to determine whether ...	この研究の目的は、…であるかどうかを判断することだ。
The overall aim of this thesis is to review the evidence for ...	この学位論文の全体としての目的は、…についてのエビデンスを再検討することだ。
This prospective study was designed to investigate the use of ...	この前向き研究は、…の利用について調べるべく計画された。
The aim of this study was to develop a better understanding of ...	この研究の目的は、…についての理解を深めることだった。
This research examines the emerging role of X in the context of ...	この研究は、…という文脈で、Xの現出しつつある役割を吟味する。
This study systematically reviews the data for..., aiming to provide ...	この研究は、…を提供することを目的として、…についてのデータを体系的に検討する。
Drawing upon two strands of research into X, this study attempts to ...	この研究では、Xについての2系列の研究に依拠しつつ、…することを試みる。
This thesis intends to determine the extent to which ... and whether ...	この学位論文は、どこまで…であるのか、そして…であるかどうかについて判断しようとするものだ。
This dissertation aims to unravel some of the mysteries surrounding ...	この学位論文は、…をめぐる謎のいくつかを解明しようとするものだ。
This study therefore set out to assess the effect of X ..., and the effect of ...	したがって、この研究は、Xの効果を評価する作業に着手するものであり…、この効果は、…
The main aim of this study is to investigate the differences between X and Y.	この研究の主目的は、XY間の差異を調べることにある。
Part of the aim of this project is to develop software that is compatible with ...	このプロジェクトの目的の一部は、…と互換性のあるソフトウェアを開発することにある。
There are two primary aims of this study: 1. To investigate ... 2. To ascertain ...	この研究の主目的は2つあり、ひとつ目は…を調べること、2つ目は…を確認することだ。
This study seeks to obtain data which will help to address these research gaps.	この研究は、こうした研究の空白部分に取り組むうえで役立つデータを得ることをめざしている。
One purpose of this study was to assess the extent to which these factors were ...	この研究のひとつの目的は、こうした要因がどこまで…かを評価することであった。
The purpose of this investigation was to explore the relationship between X and Y.	この研究の目的は、XY間の関係を調べることであった。
The aim of this research project has therefore been to assess the doses and risks associated with ...	したがって、この研究プロジェクトの目的は、…に際しての用量やリスクを評価することであった。

This study set out to この研究では、	explore ...　…を探究する作業に着手した。 determine whether ...　…かどうかを判定する～ try and establish what ...　何が…かを確立しようとする～ better understand the ...　…をよりよく理解する～ find a new method for ...　…するための新たな方法を見出す～ evaluate how effective ...　…がどのように効果があるかを評価する～ assess the feasibility of ...　…の実行可能性を評価する～ test the hypothesis that ...　…という仮説を検証する～ explore the influence of ...　…の影響を調査する～ clarify several aspects of ...　…のいくつかの側面を明らかにする～ investigate the impact of ...　…のインパクトを調べる～ identify the predictors for ...　…についての予測因子を特定する～ develop an understanding of ...　…についての理解を深める～ gain further understanding of ...　…の理解をさらに深化させる～ compare the two ways of treating ...　…を処理する2つの方法を比較する～ examine the relationship between ...　…間の関係を吟味する～ evaluate a new method of measuring ...　…を測定する新たな方法を評価する～ determine the predictive validity of the ...　…の予測の妥当性を判定する～ understand the views and experiences of ...　…の見方や経験を理解する～ review in detail the available information on ... …について入手可能な情報を精査する～ describe some of the more recent developments in ... …での最近の展開の一端について述べる～ shine new light on these debates through an examination of ... …の吟味を通じてこうした論争に新たな光をあてる～

The aim of The purpose of	this study was to this investigation has been to	predict which ...　どれが…であるかを予測することにあった。 establish whether ...　…かどうかを確立～ determine whether ...　…かどうかを判定～ develop a model for ...　…のモデルを開発～ examine the effects of ...　…の効果を調査～ assess the extent to which ...　どこまで…かを評価～ compare the clinical performance of ... …の臨床での性能を比較～ explore the relationship between X and Y. XY間の関係を探究～ identify the most important factors influencing ... …に影響する特に重要な因子を特定～
この〔研究／調査〕の目的は、		

研究上の問いや仮説を示す

The hypothesis that will be tested is that ...	検証することになる仮説は…である。
The research questions in this study focused on ...	この調査での研究上の問いは、…を焦点とするものだった。
The central question in this dissertation asks how ...	この学位論文の主要な問いは、どのように…かを問いかけるものだ。
Specifically, the following issues will be addressed: ...	具体的には下記の問題を扱うことになる。つまり…
The specific questions which drive the research are: ...	この研究の契機となっている具体的な問いは、以下のとおりだ。すなわち、…
This research seeks to address the following questions: ...	この研究は、以下の問いについて検討しようとするものだ。すなわち、…
The key research question of this study was whether or not ...	この調査での主要な研究上の問いは、…かどうかというものだった。
This study aimed to address the following research questions: ...	この調査は、以下の研究上の問い、すなわち…について取り組むことを目的としていた。
The study sought to answer the following specific research questions: ...	この研究では、以下の具体的な研究上の問い、すなわち…に答えることをめざした。
In particular, this dissertation will examine six main research questions: ...	具体的には、この学位論文では、主要な研究上の問い6つ、すなわち…について検討する。
Another question is whether ...	もうひとつの問いは、…かどうかだ。

研究のデザイン・方法・データの由来を概括する

Data for this study were collected using ...	この研究のデータは、…を用いて集めた。
Five works will be examined, all of which ...	5つの研究について検討することになるが、これらはいずれも…
This paper uses archival data from X to study ...	この論文では、…を研究するにあたって、Xにアーカイブされたデータを使用する。
A mixed-method approach was employed using ...	…を使用しつつ、混合研究法のアプローチをとった。
This investigation takes the form of a case-study ...	この研究は、事例研究のかたちをとっており、…
This study draws on two theoretical frameworks ...	この研究は、2つの理論枠組みに依拠しており、…
Qualitative content analysis was used to examine ...	…について検討するためには、定性的な内容分析を使用した。

This study utilized clustering techniques to identify ...	この研究は、…を特定するにあたってクラスタリング法を利用した。
Contemporary source material was used to examine ...	…を検討するために、同時代の資料を使用した。
This study was exploratory and interpretative in nature.	この研究は、探索的かつ解釈的性格のものだった。
This study uses a qualitative case study approach to investigate ...	この研究は、…を調べるにあたって定性的な事例研究のアプローチを用いる。
The research data in this thesis are drawn from four main sources: ...	この学位論文での研究データは、主要資料4点、すなわち…から得たものだ。
This study employed survey methodology to investigate the impact of ...	この研究では、…のインパクトを調べるにあたって、調査の方法論を用いた。
The approach to empirical research adopted for this study was one of ...	この研究で、実証的な研究を行うために採用したアプローチは、…の一種だった。
This dissertation follows a case-study design, with in-depth analysis of ...	この学位論文では、…の徹底した分析を行いつつ、事例研究の方法を用いる。
By employing qualitative modes of inquiry, I attempt to illuminate the ...	定性的なモードの問いを立てることで、…に光をあててみたい。
Qualitative and quantitative research designs were adopted to provide ...	…を提供するために、定性的ならびに定量的な研究デザインを採用した。
This study makes use of oral history interviews as well as archival sources.	この研究では、アーカイブの資料だけでなく、オーラル・ヒストリーによるインタビューも活用する。
Both qualitative and quantitative methods were used in this investigation.	この研究では、定性的な方法と定量的な方法の両方を用いた。
A holistic approach is utilized, integrating X, Y and Z material to establish ...	X、Y、Zの資料を統合しつつ全体論的なアプローチを用いて、…を確認した。
The study was conducted in the form of a survey, with data being gathered via ...	この研究は、データを…経由で集めつつ、調査というかたちで行った。
This project uses interviews and participant-observation to produce an account of ...	このプロジェクトでは、面接や参与観察を用いて…について記載する。
The methodological approach taken in this study is a mixed methodology based on ...	この研究で用いた方法論的アプローチは、…に基づく混合研究法である。
A combination of quantitative and qualitative approaches was used in the data analysis.	データ分析では、定量的なアプローチと定性的なアプローチを組み合わせて使用した。

This study This investigation この研究は、	uses used utilized	recent 最近の survey 調査での existing 現存の archival アーカイブの historical 歴史的な empirical 実証的な interview インタビューの secondary 二次的な qualitative 定性的な time-series 時系列の quantitative 定量的な longitudinal 縦断的な retrospective 後ろ向きの observational 観測での cross-sectional 横断的な	data (from X) to (X由来の)データを	assess ... …の評価のために使用[している/した]。 explore ... …の探究〜 analyze ... …の分析〜 examine ... …の吟味〜 estimate ... …の推定〜 determine ... …の判別〜 investigate ... …の研究〜

研究の重要性や価値を示す

This is the first study to ...	この研究は、…を行う最初の研究である。
This research sheds new light on ...	この研究は、…に新たな光を投げかけるものだ。
This study provides new insights into ...	この研究は、…についての新たな洞察をもたらすものだ。
This study fills a gap in the research on ...	この研究は、…をめぐる研究の空白部分を埋めるものだ。
This study offers a fresh perspective on ...	この研究は、…をめぐる新たな見解を提供する。
This work will generate fresh insight into ...	この研究によって、…についての新たな知見が得られるはずだ。
The study offers some important insights into ...	この研究は、…をめぐる重要な洞察をいくつか提供する。
The present study fills a gap in the literature by ...	この研究は、…によって文献の空白部分を埋めるものである。
Understanding the link between X and Y will help ...	XY間のつながりを理解することは、…するうえで役に立つ。
This investigation will enhance our understanding of ...	この研究によって、…をめぐる我々の理解が深まるはずだ。
This research provides the first extensive examination of ...	この研究は、…についてはじめて広範な調査を行った。
This is the first study to undertake a longitudinal analysis of ...	この研究は、…についてはじめて縦断的分析を実施した研究である。
The importance and originality of this study is that it explores ...	この研究が重要かつ独創的なのは、…を探究するという点だ。

The present research explores, for the first time, the effects of ...	この研究は、…の効果についてはじめて探究する。
The findings should make an important contribution to the field of ...	得られた知見は、…の分野にとって重要な意義があるはずだ。
Characterization of X is important for our increased understanding of ...	Xの特性を調べる作業は、…の理解を深めるうえで重要だ。
This study provides an exciting opportunity to advance our knowledge of ...	この研究は、…についての知識を前進させるうえで刺激的な機会となる。
It is hoped that this research will contribute to a deeper understanding of ...	この研究によって、…の理解が深まることを期待している。
This study aims to contribute to this growing area of research by exploring ...	この研究は、…を探究することで、成長中のこの研究領域に貢献せんとするものである。
This project provided an important opportunity to advance the understanding of ...	このプロジェクトは、…について理解を深める重要な機会となった。
Therefore, this study makes a major contribution to research on X by demonstrating ...	したがって、この研究は、…を示すことによって、Xについての研究に大きく貢献する。
There are several important areas where this study makes an original contribution to ...	この研究が…に対して独自の貢献を行うような重要な領域がいくつかある。
The experimental work presented here provides one of the first investigations into how ...	ここに示す実験研究は、どのように…なのかについて調べた最初の研究のひとつである。

<table>
<tr><td>The study presented</td><td>here
in this thesis
in this report</td><td rowspan="2">is one of the first investigations to</td><td rowspan="2">use ...
…を使用した最初の研究のひとつである。
utilize ...
…を利用〜
survey ...
…について調査〜
include ...
…を包含〜
explore ...
…について調査〜
employ ...
…を使用〜
examine in detail ...
…を詳しく調査〜
test the effects of ...
…の効果を試験〜
focus specifically on ...
…に具体的に注目〜
assess the impact of ...
…のインパクトを評価〜</td></tr>
<tr><td colspan="2">［ここに／この学位論文で／この報告で］示す研究は、</td></tr>
</table>

著者個人が関心を持つようになった理由を述べる*

I became interested in Xs after reading ...	…を読んで以来、Xに関心を持つようになった。
My interest in this area developed while I was ...	この領域に興味を持つようになったのは、…しているときだった。
I have worked closely with X for many years and ...	私は長年にわたってXと一緒に仕事をしてきており、…
This research complements an earlier study which ...	この研究は、…を行った以前の研究を補うものである。
My personal experience of X has prompted this research.	この研究は、Xについての個人的な経験をきっかけに進められた。
My main reason for choosing this topic is personal interest.	このトピックを選択したのは、主に個人的な関心によるものだ。
The genesis of this thesis can be traced back to the time I spent ...	この命題の発端は、私が…していた時期にさかのぼる。
It is my experience of working with X that has driven this research.	この研究を行うことになったのは、Xと取り組んだ経験をふまえてのことだ。
This project was conceived during my time working for X. As a medical advisor, I witnessed ...	このプロジェクトを思いついたのは、Xのところで働いていた時期のことだ。そのころ、私は医学アドバイザーとして…を目にしていた。

*人文科学や、場合によっては応用人間科学でも、こうした理由が述べられることがある。

研究の限界を示す

The thesis does not engage with ...	この学位論文は、…とかかわるものではない。
This study is unable to encompass the entire ...	この研究は、…の全体をカバーすることはできない。
Establishing X is beyond the scope of this study.	Xを立証するのはこの研究の範囲を超えている。
It is beyond the scope of this study to examine the ...	…について検討するのは、この研究の範囲を超えている。
A full discussion of X lies beyond the scope of this study.	Xについて包括的に議論するのは、この研究の範囲を超えている。
The reader should bear in mind that the study is based on ...	読者は、この研究が…に基づくものであることを念頭に置いておくべきだ。
Another potential problem is that the scope of my thesis may be too broad.	もうひとつ、問題となりかねないのは、この学位論文の範囲が広すぎるかもしれない点だ。
Due to practical constraints, this paper cannot provide a comprehensive review of ...	実際上の制限もあるので、この論文では、…の包括的なレビューを提供することはできない。

論文の構成を説明する

This paper begins by ... It will then go on to ...	この論文ではまず…について述べ、次に…について述べる。
The first section of this paper will examine ...	この論文の最初のセクションでは、…について検討する。
The essay has been organized in the following way: ...	この小論は、以下の構成とする。すなわち、…
The remaining part of the paper proceeds as follows: ...	この論文の残りの部分は、以下のように進める。すなわち…
The main issues addressed in this paper are: a), b) and c).	この論文で扱う主な問題は、a)、b)、c)である。
This paper first gives a brief overview of the recent history of X.	この論文では、まず、Xをめぐる近年の経緯について簡単に振り返る。
This paper has been divided into four parts. The first part deals with ...	この論文は、4部分に分かれている。最初の部分では、…について扱う。

My thesis is composed of four themed chapters.	この学位論文は、それぞれテーマを有する4つの章から構成されている。
The overall structure of the study takes the form of six chapters.	この研究は、6章からなる全体構成を有する。
The thesis is divided into three distinct sections. The first section ...	この学位論文は、3つの別々のセクションに分かれている。最初のセクションでは、…
The third chapter is concerned with the methodology employed for this study.	3章は、この研究で用いた方法論にかかわる部分である。
Chapter 2 will consider both the sources and methods of study which will include ...	2章では、研究に用いた資料と方法の両方について考察し、その内容としては、…
The purpose of the final chapter is to reflect on the extent to which this study has ...	最終章の目的は、この研究の持つ広がりについて考えることにあり、…
Chapter 4 analyses the data gathered and addresses each of the research questions in turn.	4章では、集めたデータを分析し、それぞれの研究上の問いを順次扱う。
Chapter 5 analyses the results of interviews and focus group discussions undertaken during ...	5章では、…の間に実施されたインタビューやフォーカスグループでの議論の結果について分析する。
The fifth section presents the findings of the research, focusing on the three key themes that ...	第5節では、…である中心テーマ3つに焦点をあてつつ、研究で得られた知見を提示する。
Chapter Two begins by laying out the theoretical dimensions of the research, and looks at how ...	2章では、まず研究の理論的側面を整理し、どのように…かについて見ていく。

	examines ... …について検討する。 gives a brief review of ... …について簡単にレビューする。 contextualizes the research by ... …によって研究が置かれた状況を説明する。 discusses the significant findings. 重要な知見について議論する。 draws upon the entire thesis to ... 論文全体に依拠しつつ、…を行う。 identifies areas for further research. さらなる研究を行うべき領域を確定する。
The second part 第2部(で)は、 The final chapter 最終章(で)は、 The final section 最終節(で)は、	ties together the common themes and ... 共通のテーマを結びつけ、そして… explains the emergent themes influencing ... (研究で)浮かび上がってきた…に影響を及ぼすようなテーマについて説明する。 draws together these various findings, and ... これら各種の知見をまとめ、そして… draws together the key findings, making the ... …を行いつつ、核となる知見をまとめる。 draws together the various strands of the thesis. この学位論文で出てきたさまざまな流れをまとめる。 gives a brief summary and critique of the findings. 各種知見についての簡単なまとめと批判を示す。 summarizes the main findings of this project and ... このプロジェクトで得られた主な知見をまとめ、そして… summarizes the principal findings of these experiments and ... これらの実験の主要な知見をまとめ、そして… brings together the lessons from these case studies, and then ... こうした事例研究で得られた教訓をまとめ、次に… describes the experimental approach and instrumentation utilized in ... …で用いた実験アプローチと器具類について説明する。 ties together the various theoretical and empirical strands in order to ... …する目的で、さまざまな理論的、実証的な流れを結びつける。 includes a discussion of the implication of the findings to future research into ... 得られた知見が…をめぐる今後の研究に対して持つ意味について議論する。

The main	topics issues themes periods developments	covered in this chapter are ...
この章で扱う主要な[トピック/話題/テーマ/時期/展開]は、…だ。		

The aim of the chapter is to introduce ...	この章の目的は、…を紹介することにある。
This chapter seeks to assess the impact of ...	この章では、…のインパクトについて評価したい。
This chapter is subdivided into three sections.	この章は、3節に分かれている。
This section will attempt to assess whether ...	この節では、…かどうかについて評価を試みる。
The second part highlights the key theoretical concepts which ...	第2部では、…という中心的な理論上の概念に焦点をあてる。
This chapter contextualizes the research by providing background information on ...	この章では、…についての背景情報を提供することにより、この研究が置かれた状況を明らかにする。
This chapter discusses the specific methods by which the research and analyses were conducted.	この章では、研究や分析を行う際に使用した具体的な方法について論じることになる。

キーワードを説明する（「用語を定義する際の表現」p.169も参照）

Throughout this paper, the term ‘X’ will refer to ...	この論文全体を通じて、用語「X」は…を意味するものとする。
The term ‘X’ will be used in this thesis to refer to ...	用語「X」は、この学位論文では、…を意味するものとして使用する。
The phrase ‘X’ will be used in this study to describe the ...	「X」という表現を、この研究では…について記載する際に使用する。
According to Smith (2002), X can be defined as follows: ‘ ... ’	Smith（2002）にしたがえば、Xは以下のように定義できる。すなわち、「…」。
In this article, the abbreviation XYZ will be used to refer to ...	この論文では、略称XYZは、…について表す際に使用する。
Throughout this dissertation, the term ‘X’ will be used to refer to ...	この学位論文全体を通じて、用語「X」は…を表すために使用する。
The term ‘X’ is a relatively new name for ..., commonly referred to as ...	用語「X」は、…と称されることも多い…の比較的新しい名称である。
In this essay, the term ‘X’ will be used in its broadest sense to refer to all ...	この小論では、用語「X」は、すべての…を含むよう広義で使用する。
In this dissertation, the terms ‘X’ and ‘Y’ are used interchangeably to mean ...	この学位論文では、用語「X」および「Y」を、…の意味で互換的に使用する。
While a variety of definitions of the term ‘X’ have been suggested, this paper will use the definition first suggested by Smith (1968) who saw it as ...	用語「X」については各種の定義が提案されているが、この論文では、「X」を…であると見なしたSmithが最初に提案した定義を使用する（Smith, 1968）。

第2章　関連文献に言及するための表現

学術的文章の執筆に関しての際だった特徴として、どんなことが既知で、どんな研究がこれまでになされ、どんな発想やモデルが展開済みなのかをベースに文章を書くということがある。そのため、学術的文章では、他の研究者の研究や業績に対して頻繁に言及することになる。

執筆者は、こうした文献を、手際よく読者に提示していかねばならない。本章では、そのために使用可能なフレーズの例を挙げていく。

文献のレビューについて：研究論文や学位論文の文献レビューセクションの目的は、研究トピック全体に関して何が既知なのかを読者に対して体系的に示し、そうした点について理解するうえで鍵となるような概念や理論を概説することだ。レビューでは、体系的であるだけでなく、当該研究に関連する研究や発想をきちんと評価・批判できていることも必要だ。たとえば、ある研究について、「研究対象領域の重要な側面を調べていない」、「用いた方法論の弱点に、執筆者が気づいていない」、「結論の裏づけが不十分だ」などと考えることもあるだろう（「批判的態度で臨む際の表現」p. 136も参照）。

文献引用の様式について：執筆者が他の文献に言及する際の方式は、分野によって少しずつ違う。誰が著者なのかが大事な場合は、著者名が文の主語になるように書き、そうでない場合は、著者名を括弧に入れたり、通し番号をつけて脚注や文末注に記載するだけにしたりする場合もある。著者名を文の主語にするスタイルは、実証的な研究分野（実証科学）では少なめだが、人文科学では多用されている。このように、分野が異なると、文献の引用・参照様式も違ってくる。なお、本書に収載した用例の大半は、本文中に文献を記載するハーバード方式を用いている。

動詞の時制について：一般的なかたちで文献に言及するときは、現在完了時制（have/has＋動詞の分詞）が使われることが多い。一方、過去に行われた特定の研究に言及するときは、単純過去時制が使われることが多く、この場合、過去の特定の日付や時期が文中に出てくるのが常だ。また、他の執筆者による記述や発想に言及するときは、現在時制が使われることが多い（その人物が亡くなっている場合も、述べられている内容が適切なままなら、現在時制が使われることが多い）。以下の用例は、多くがこうした一般的パターンを反映したものだ。もっとも、こうしたパターンには例外も多い。

関連文献について一般的に言及する

The literature on X has highlighted several ...	Xを扱った文献は、いくつかの…を焦点化した。
Different theories exist in the literature regarding ...	…に関する文献には、各種の理論が存在している。
More recent attention has focused on the provision of ...	最近では、…を設けることに注目が集まっている。
There are relatively few historical studies in the area of ...	この…の領域には、歴史研究が比較的少ない。

A great deal of previous research into X has focused on ...	Xについての多数の先行研究が、…を焦点化している。
A large and growing body of literature has investigated ...	…を研究した文献は数多く、その数は増えつづけている。
Much of the literature since the mid-1990s emphasizes the ...	1990年代中盤以降の文献は、多くが…を強調している。
Much of the current literature on X pays particular attention to ...	Xを扱った最近の文献の多くが、…に特段の関心を寄せている。
There is a large volume of published studies describing the role of ...	…の役割について記述した研究が、多数発表されている。
The existing literature on X is extensive and focuses particularly on ...	Xをめぐっては膨大な文献が存在しており、そうした文献では、…が特段の注目を集めている。
There is a relatively small body of literature that is concerned with ...	…に関連する文献は比較的少ない。
The generalizability of much published research on this issue is problematic.	この問題を扱った公表済みの多くの研究は、一般化できるかどうかという点で問題がある。
A considerable amount of literature has been published on X. These studies ...	Xについては相当量の文献が発表されている。こうした研究では、…
What we know about X is largely based upon empirical studies that investigate how ...	Xをめぐる我々の知識は、どのように…かについて調べた実証的研究に負うところが大きい。
The academic literature on X has revealed the emergence of several contrasting themes.	Xについての学術文献から明らかなように、対照的なテーマがいくつか出現している。

Much of The greater part of	the literature on X	ignores ... …を無視している。 comes from ... …由来である。 focuses on ... …を焦点としている。 is descriptive. 記述的である。 acknowledges ... …を認めている。 takes as its focus ... …に注目している。 is concerned with ... …にかかわっている。 lacks clarity regarding ... …に関して明瞭さを欠いている。 is exploratory in nature. 本質的に探索的である。 pays particular attention to ... …に特に注目している。 seems to have been based on ... …に基礎を置いているようだ。 perpetuates out-of-date notions of ... …のような古くさい概念を延命させている。 has emphasized the importance of ... …の重要性を強調している。 is extensive and focuses particularly on ... 長大で、…に特に集中している。
Xについての文献の〔大半／大部分〕は、		

先行研究の歴史的経緯に言及する

For many years, this phenomenon was surprisingly neglected by ...	長年にわたって、この現象は、意外にも…から無視されてきた。
Only in the past ten years have studies of X directly addressed how ...	Xの研究が、どのように…かについて直接扱うようになったのは、たかだかここ十年のことだ。
Prior to the work of Smith (1983), the role of X was largely unknown.	Smithの研究まで、Xの役割はほとんど知られていなかった（Smith, 1983）。
Over the past decade, most research in X has emphasized the use of ...	ここ十年というもの、Xでの研究は…の使用を強調するものが大半だった。
In recent years, there has been an increasing amount of literature on ...	近年、…を扱った文献が増えてきている。
Early examples of research into X include ... (Smith, 1962; Jones, 1974).	Xの初期の研究例としては、…がある（Smith, 1962; Jones, 1974）。

During the past 30 years, much more information has become available on ...	この30年間で、…についての入手可能な情報が激増した。
The first serious discussions and analyses of X emerged during the 1970s with ...	Xをめぐる最初の真剣な議論や分析は、…とともに1970年代に出現した。
Over the past two decades, major advances in molecular biology have allowed ...	この20年間、分子生物学の長足の進歩によって、…が可能となった。
Historically, research investigating the factors associated with X has focused on ...	歴史的には、Xの関連要因を調べる研究は、…を焦点としてきた。
It is only since the work of Smith (2001) that the study of X has gained momentum.	Xの研究にはずみがついたのは、Smithの研究以降にすぎない(Smith, 2001)。
The construct of X was first articulated by Smith (1977) and popularized in his book: ...	Xの構成については、まずSmithによって整理され(Smith, 1977)、その後彼の本で普及した。すなわち…
It was not until the late 1960s that historians considered X worthy of scholarly attention.	Xに学問的関心を寄せる価値があると歴史家が考えるようになったのは、1960年代後半になってからのことだ。
Awareness of X is not recent, having possibly first been described in the 5th century BCE by ...	Xが意識されるようになったのは最近のことではなく、…によって紀元前5世紀に記載されたのが最初かもしれない。
Around the early 1960s, small-scale research and case studies began to emerge linking the use of ...	1960年代はじめに、小規模研究や事例研究が実施されるようになり、…の使用が関係づけられるようになった。

先行研究が用いたアプローチに言及する

Most research on X has been carried out in ...	Xについての研究は、大半が、…で実施されてきた。
Most researchers investigating X have utilized ...	Xを研究している研究者は、大半が…を使用した。
Using this approach, researchers have been able to ...	このアプローチを用いることで、研究者は…を行うことができた。
The majority of previous studies on X are based on ...	Xについての先行研究は、大半が…に基づいている。
Several systematic reviews of X have been undertaken.	Xについての体系的なレビューがいくつか実施されている。
The vast majority of studies on X have been quantitative.	Xについての研究は、大多数が定量的な研究であった。
What we know about X is largely based on observational studies.	Xについて既知の事柄は、主に観察的な研究に基づいている。
There are a number of large cross-sectional studies which suggest ...	…を示唆する大型の横断的研究が多数ある。

Much of the previous research on X has been exploratory in nature.	Xについての先行研究の多くが、本質的に探索的だった。
Much of the X research has focused on identifying and evaluating the ...	X研究の多くが、…を識別して評価する作業に集中してきた。
Publications that concentrate on X more frequently adopt a historical or chronological approach ...	Xを集中的に扱う刊行物では、歴史的あるいは経時的アプローチを採用することが多く、…

What we know about X is largely based upon Xについて既知の事柄は、主に、	case clinical empirical qualitative simulation laboratory longitudinal comparative experimental observational epidemiological	studies that investigate how ...
	どのように…かを探究する〔事例／臨床／実証的／定性的／シミュレーションによる／実験室での／縦断／比較／実験による／観察／疫学〕研究に基づいている。	

Recent studies have 最近の研究は、 The research to date has これまでの研究は、	been	conducted using ... …を用いて実施されてきた。 carried out using ... …を用いて実施されてきた。 largely exploratory. 主として探究的であった。 qualitative in nature. 本質的に定性的であった。 designed to determine whether ... …であるかどうかを判断するために計画されてきた。 based on relatively small sample sizes. 比較的小型の標本サイズで実施されてきた。 undertaken in a variety of healthcare settings. ヘルスケアをめぐる各種環境で実施されてきた。

先行研究や学識に一般的に言及する（通常複数件に言及）

Several lines of evidence suggest that ...	何系統かのエビデンスによって、…ということが示された。
Previous research has established that ...	先行研究によって、…ということが立証されている。
Data from several studies suggest that ...	いくつかの研究で得られたデータによって、…が示された。

It is now well established from a variety of studies that ...	現在では、各種の研究によって、…が立証されている。
A number of studies have postulated a convergence between ...	いくつもの研究が、…間の収斂を想定していた。
Surveys such as that conducted by Smith (1988) have shown that ...	Smithが実施したような数々の調査によって、…が示された(Smith, 1988)。
Many recent studies (e.g. Smith, 2001; Jones, 2005) have shown that ...	多くの最近の研究(たとえばSmith, 2001; Jones, 2005)によって、…であることが示された。
Traditionally, it has been argued that ... (e.g. Smith, 1960; Jones, 1972).	伝統的に、…は…であると論じられてきた(たとえばSmith, 1960; Jones, 1972)。
Twenty cohort study analyses have examined the relationship between ...	20件のコホート研究での分析によって、…間の関係性が検討されている。
Several biographies of Brown have been published. Smith (2013) presents ...	Brownの伝記は数種刊行されており、Smith(2013)では、…が示されている。
In previous studies on X, different variables have been found to be related to ...	Xについてのこれまでの研究で、各種の変数が…と関係することがわかっている。
A number of authors have considered the effects of ... (Smith, 2003; Jones, 2004).	何人もの著者が、…の効果について考えてきた(Smith, 2003; Jones, 2004)。
Many historians have argued that ... (e.g. Jones, 1987; Johnson, 1990; Smith, 1994).	多くの歴史家が、…であると論じてきた(たとえばJones, 1987; Johnson, 1990; Smith, 1994)。
There is a consensus among social scientists that ... (e.g. Jones, 1987; Johnson, 1990; ...).	社会科学者には、…というコンセンサスがある(たとえばJones, 1987; Johnson, 1990; …)。
Data from several sources have identified the increased X and Y associated with obesity.	いくつかの資料で得られたデータで、肥満に関連してXとYが上昇していることが特定された。
At least 120 case-control studies worldwide have examined the relationship between ...	世界中の120以上の症例対照研究で、…間の関係が調べられている。
It has been demonstrated that a high intake of X results in damage to ... (Smith, 1998; ...).	Xの摂取量が多いと…に対する悪影響が生じることが示された(Smith, 1998; …)。
Numerous studies have attempted to explain ... (for example, Smith, 1996; Jones, 1998; ...).	多くの研究が、…について説明しようとしてきた(たとえばSmith, 1996; Jones, 1998; …)。
Previous research findings into X have been inconsistent and contradictory (Smith, 1996; ...).	従来の研究で得られたXに関しての知見は、一貫性がなく、相矛盾していた(Smith, 1996; …)。
Some cross-sectional studies suggest an association between X and Y (Smith, 2004; Jones, 2005).	いくつかの横断的研究が、XY間の関連を示している(Smith, 2004; Jones, 2005)。
There are a large number of published studies (e.g. Smith, 2001; ...) that describe the link between ...	…間の関連について記載した研究が多数刊行されている(たとえばSmith, 2001; …)。

Previous Several	studies of X surveys of X investigations of X	have	found ...　…が見出された。 revealed ...　…が明らかにされた。 reported ...　…が報告された。 identified ...　…が特定された。 established ...　…が立証された。 demonstrated ...　…が実証された。 shown significant increases in ... …の有意な上昇が示された。
Xをめぐる〔先行する／いくつかの〕〔研究／調査〕で			

It has been	noted that ...　…であると言及されてきた。 argued that ...　…であると論じられてきた。 shown that ...　…であることが示されてきた。 thought that ...　…であると考慮されてきた。 assumed that ...　…であると想定されてきた。 reported that ...　…であると報告されてきた。 observed that ...　…であることが観察されてきた。 suggested that ...　…であると示唆されてきた。 established that ...　…であることが立証されてきた。 demonstrated that ...　…であることが実証されてきた。 conclusively shown that ...　…であることが最終的に示されてきた。

To date, Thus far, Up to now, これまで、	several studies いくつかの研究が、 previous studies 先行研究が、 a number of studies いくつもの研究が、	have	used ...　…を使用してきた。 found ...　…を見出してきた。 reported ...　…を報告してきた。 shown that ...　…であることを示してきた。 indicated that ...　…であることを示唆してきた。 linked X with Y.　XをYと関連づけてきた。 suggested that ...　…であることを提案してきた。 demonstrated that ...　…であることを実証してきた。 tested the efficacy of ... …の有効性を試験してきた。 identified a link between ... …間の関係を特定してきた。 investigated the effects of ... …の効果を研究してきた。 begun to examine the use of ... …の利用について検討をはじめてきた。 confirmed the effectiveness of ... …の有効性を確認してきた。 used longitudinal data to examine ... …を吟味するべく縦断的データを使用してきた。 examined the association between ... …間の関連性を吟味してきた。 attempted to evaluate the impact of ... …のインパクトを評価する作業を試みてきた。 revealed a correlation between X and Y. XY間の相関を明らかにしてきた。 analyzed the accuracy and precision of ... …の正確さと精度を分析してきた。

			explored the relationships between X and Y. XY間の関係を探索してきた。 highlighted factors that are associated with ... …と関連する要因を強調してきた。

Several recent studies investigating X have been carried out on ...	Xについて調べる最近の研究が、いくつか、…について実施された。
Recent evidence suggests that ... (Smith, 1996; Jones, 1999; Johnson, 2001).	最近得られたエビデンスは、…を示している(Smith, 1996; Jones, 1999; Johnson, 2001)。
Recently, in vitro studies have shown that X can ... (Smith *et al.*, 1997; Jones *et al.*, 1998).	最近、in vitroでの研究によって、Xが…しうることが示された(Smithら, 1997; Jonesら, 1998)。
In recent years, a few authors have begun to ... (Smith, 1996; Jones, 1999; Johnson, 2001).	近年、何人かの著者が…を開始している(Smith, 1996; Jones, 1999; Johnson, 2001)。

研究の現状に言及する

X is positively related to Y (Smith, 2007).	Xは、Yと正の相関がある(Smith, 2007)。
X is one of the most intense reactions following Y (Jones, 2003).	Xは、Yに続いて生じる中では特に激しい反応である(Jones, 2003)。
X is a principal determining factor of Y (Smith, 2005; Jones, 2013).	Xは、Yの主要な決定因子である(Smith, 2005; Jones, 2013)。
There is an unambiguous relationship between X and Y (Smith, 1998).	XY間には、明瞭な関係がある(Smith, 1998)。
X is significantly reduced during the first months of ... (Smith, 2000; Jones, 2006).	Xは、…の最初の何ヶ月かは有意に減少する(Smith, 2000; Jones, 2006)。
X has been found to oppose the anti-inflammatory actions of Y on Z (Smith, 2004).	Xは、YのZに対する抗炎症作用を妨害することがわかった(Smith, 2004)。
GM varieties of X are able to cross-pollinate with non-GM varieties (Smith, 1998; Jones, 2009).	XのGM(遺伝子組換え)品種は、非GM品種との他家受粉が可能だ(Smith, 1998; Jones, 2009)。
A relationship exists between an individual's working memory and their ability to ... (Jones, 2002).	ある人の作業記憶と、その人が…する能力との間にはなんらかの関係がある(Jones, 2002)。

先行研究や学識に一般的に言及する（その結果に問題があることを明確にする）

Previous studies have failed to 先行研究では、	find show demonstrate	a (any) benefit in ...　…での利益は、(なんら)〔発見／提示／実証〕されていない。 a (any) link between ...　…間の関連〜 a (any) treatment effect.　治療効果〜 a (any) protective effect of ...　…の防御効果〜 a (any) correlation between ...　…間の相関〜 a (any) connection between ...　…間の関係〜 a (any) causal relationship between ...　…間の因果関係〜 a (any) consistent association between ...　…間の着実な連携〜 a (any) statistically significant difference ...　…の統計上有意な差異〜 (any) convincing evidence of ...　…の説得力ある根拠〜 (any) benefits associated with ...　…と関連する利益〜 (any) significant differences in ...　…での有意な違い〜 (any) support for the X hypothesis.　X仮説を裏づける内容〜 (any) significant advantages of using ... …を使用することの有意な利点〜 (any) significant changes in health outcomes ... 健康上の転帰の…であるような有意な変化〜 (any) reliable, repeatable therapeutic effects of ... …の信頼のおける再現性のある治療効果〜
Prior studies have 先行研究は、 Recent studies have 最近の研究は、 The research to date has これまでの研究は、	not been able to	establish ... …を立証できていない。 confirm earlier ... それ以前の…を確認〜 determine whether ... …かどうかを判断〜 convincingly show that ... …であることを説得的に提示〜 reproduce these findings. そうした知見を再現〜 account for all aspects of ... …の全側面を説明〜 replicate these associations. そうした連携を再現〜 confirm earlier findings showing ... …を示すそれ以前の知見を確認〜

先行研究や学識に一般的に言及する（研究対象を明確にする）

X has been proposed to explain how ...	Xは、どのように…なのかを説明するために提案された。
The X problem has been extensively studied.	X問題は広範に研究されている。

Xs have been studied extensively in vitro, using ...	Xについては、in vitroで…を使用することで広範に研究されている。
X has been intensively investigated recently due to its ...	Xは最近、Xの…ゆえに集中的に研究されている。
Markers for the prediction of X have been widely investigated.	X予測用のマーカーは、広く研究されている。
X has also been shown to reverse the anti-inflammatory effects of Y in ...	Xについては、Yの…での抗炎症効果を逆行させることも示されている。
These effects have been shown in X (e.g. Smith *et al.*, 1981; Jones, 1996).	こうした効果は、Xで示されている(たとえばSmithら, 1981; Jones, 1996)。
Factors thought to be influencing X have been explored in several studies.	Xに影響していると思われる要因が、いくつかの研究で調べられている。
The geology of X has been addressed in several small-scale investigations and ...	Xの地質学的性質は、いくつかの小規模調査で扱われ、そして…
The roles of X have been studied extensively (Jones, 1989; Johnson, 1994; Smith, 1998).	Xの役割は広範に研究されている(Jones, 1989; Johnson, 1994; Smith, 1998)。
The causes of X have been widely investigated (Jones, 1987; Johnson, 1990; Smith, 1994).	Xの原因は、広く調べられている(Jones, 1987; Johnson, 1990; Smith, 1994)。
X has been identified as a major contributing factor to the decline of many species of	Xは、…の多くの種が衰退した主因のひとつとして特定されている。
The relationship between X and Y has been widely investigated (Smith, 1985; Jones, 1987; ...)	XY間の関係は、広く調べられており(Smith, 1985; Jones, 1987; …)

重要な先行研究に言及する

The first detailed study of X was ...	Xについての最初の詳しい研究は…であった。
Smith (1960) was one of the first to examine ...	Smith(1960)は、…について調べた最初の研究のひとつであり…
The first systematic study of X was reported by ...	Xについての最初の体系的研究は、…によって報告された。
One of the most cited studies is that of Smith who sees ...	引用数が最多の研究に、…を調べたSmithの研究がある。
X is most commonly associated with the work of Jones (1960).	Xは、Jonesの研究(1960)と関連づけられることが特に多い。
The first major fieldwork project that was undertaken in X was ...	Xで最初に実施された重要な野外研究プロジェクトは、…だった。

A good summary of the classification of X has been provided in the work of ...	Xの分類についてのよいまとめが、…の研究に載っている。
In a comprehensive literature review of X, Smith identified three significant ...	Xについての包括的な文献レビューで、Smithは3つの顕著な…を特定した。
In 1985, Smith and Jones were the first of many investigators to demonstrate ...	1985年に、SmithとJonesは、多くの研究者に先駆けて…を示した。
One well-known study that is often cited in research on X is that of Smith (1972), who found ...	Xをめぐる研究でよく引用される有名な研究のひとつにSmith(1972)があり、Smithはこの研究で…を発見した。
The innovative and seminal work of Smith pioneered a new approach to examining X and provided ...	Smithの革新的で独創的な研究によって、Xを調べる新たなアプローチが切り開かれ、…が提供された。

重要な記述を含む先行研究に言及する

In his seminal text, *XXXXX*, Smith devoted some attention to ...	Smithは自らの独創的な論文「XXXXX」で、…に関心を示した。
One of the most influential accounts of X comes from Smith (1986).	Xについての最も影響力ある説明は、Smith(1986)のものである。
In Smith's landmark paper *XXXXX* (1956), he adopted a Y approach to ...	Smithの画期的論文「XXXXX」(1956)で、彼は、…に関してYアプローチを採用した。
X, writing in the fifth century BCE, provides the earliest description of ...	Xは、紀元前5世紀に執筆することで、…についての最も古い記述を残した。
One well-known early study that is often cited in research on X is that of ...	Xをめぐる研究で引用されることの多い有名な初期の研究に、…の研究がある。
In her seminal paper entitled *XXXXX*, Smith (1981) identified problems with ...	Smithは、自らの独創的な論文「*XXXXX*」(Smith, 1981)で、…にともなう問題を特定した。
Among the historiography of X, perhaps the most well-known work is that of ...	Xについての史料編纂をめぐって特によく知られている研究は、…によるものだろう。
Smith, in his comprehensive biography of X, devoted a substantial section to ...	Smithは、Xの包括的伝記で、…にかなりの分量を割いた。
A more substantial approach to the longer-term significance of X can be found in ...	Xの長期的重要性を扱ううえでもっと実質的なアプローチについては、…を参照されたい。
Smith *et al.*, in their book *XXXXX* (2006), give some reliable methods for calculating ...	Smithらは、彼らの書籍『XXXXX』(2006)で、…を計算する信頼性の高い方法をいくつか示している。

By far the most 突出して Perhaps the most おそらくは最も	detailed　詳しい thorough　徹底した complete　完全な influential　影響力ある important　重要な well-known　よく知られた comprehensive　包括的な widely-accepted　広く受け入れられた	account of X is to be found in the work of ... Xについての説明は、…の研究に見出される。

特定の先行研究に言及する（研究者を目立たせる）

Smith's comparative study (2012) found that ...	Smithの比較研究（2012）で、…が見出された。
Jones's comprehensive review concluded that ...	Jonesの包括的レビューは、…と結論づけた。
Brown's (1992) model of X assumes three main ...	Brown（1992）のXについてのモデルでは、3つの主要な…が想定されている。
Smith's cross-country analysis (2012) showed that ...	Smithの複数国にまたがる分析（Smith, 2012）では、…が示されている。

Smith *et al.* (1984) Smithら（1984）は、	reported ...　…を報告した。 identified ...　…を特定した。 found that ...　…を発見した。 showed that ...　…を示した。 demonstrated that ...　…を実証した。

To examine this issue, この問題を吟味するために、 To compare the X with Y, XをYと比較するために、 To determine whether the ..., …かどうかを判断するために、 To further examine the role of ..., …の役割をさらに吟味するために、 To further investigate the role of ..., …の役割をさらに調査するために、	Smith *et al.* (1984) carried out a series of experiments. Smithらは一連の実験を行った（Smithら，1984）。

Jones *et al.* (2011) Jonesら（2011）は、	compared the rate of ... …の率を比較した。 labeled these subsets as ... これらの部分集合を…と呼んだ。 measured both components of the ... …の両成分を測定した。

	used a survey to assess the various ... 調査を用いて各種の…を評価した。 identified parents of disabled children as ... 障がいのある子どもたちの親を…であるとして特定した。 set up a series of virtual experiments using ... …を用いて、一連のバーチャルな実験を設定した。 examined the flow of international students ... …である海外出身学生の流れを調べた。 carried out a number of investigations into the ... …についての調査をいくつも実施した。 studied the effects of X on unprotected nerve cells. Xが非保護の神経細胞に対して及ぼす影響について研究した。 analyzed the data from 72 countries and concluded that ... 72カ国で得られたデータを分析して、…であると結論づけた。 interviewed 250 undergraduate students using semi-structured ... 半構造化された…を用いて、学部生250人にインタビューした。 performed a similar series of experiments in the 1960s to show that ... 1960年代に似たような一連の実験を行って、…であることを示した。 reviewed the literature from the period and found little evidence for this ... その時期の文献をレビューしたが、この…についてはほとんど根拠を見出すことができなかった。 conducted a series of trials in which he mixed X with different quantities of ... Xをさまざまな量の…と混合する一連の試みを実施した。 investigated the differential impact of formal and non-formal education on ... 正規の教育と非正規の教育が…にもたらす異なる影響について調べた。

特定の先行研究に言及する（研究内容を目立たせる）

One longitudinal study found that ...	ある縦断的研究で、…であることが見出された。
A seminal study in this area is the work of ...	この分野の独創的研究に、…の研究がある。
One study by Smith (2014) examined the trend in ...	Smithが行ったある研究（2014）で、…での傾向が検討された。
A recent study by Smith and Jones (2012) involved ...	SmithとJonesによる最近の研究（2012）では、…を行った。
A qualitative study by Smith (2003) described how ...	Smithによる定性的な研究（2003）では、どのように…かについて記述している。
A recent systematic literature review concluded that ...	最近の体系的な文献レビューでは、…であると結論づけている。
Preliminary work on X was undertaken by Jones (1992).	Xについての予備的な研究が、Jonesによって行われている（Jones, 1992）。
A longitudinal study of X by Smith (2012) reports that ...	SmithによるXについての縦断的研究（2012）では、…であると報告している。

A key study comparing X and Y is that of Smith (2010), in which ...	XとYの比較研究として重要なのがSmithの研究(2010)で、この研究では、…
The first systematic study of X was reported by Smith *et al.* in 1986.	Xについての最初の体系的研究が、1986年に、Smithらによって報告された。
Detailed examination of X by Smith and Jones (1961) showed that ...	SmithとJonesによるXについての詳細な研究(1961)によって、…が示された。
Analysis of the genes involved in X was first carried out by Smith *et al.* (1983).	Xに関与する遺伝子の分析は、Smithらによって最初に実施された(Smithら, 1983)。
A significant analysis and discussion on the subject was presented by Smith (1988).	このテーマをめぐる重要な分析と議論は、Smithによって提示された(Smith, 1988)。
The study of the structural behavior of X was first carried out by Jones *et al.* (1986).	Xの構造挙動の研究は、Jonesらによって最初に実施された(Jonesら, 1986)。
A small scale study by Smith (2012) reached different conclusions, finding no increase in ...	Smithによる小規模研究(2012)では、異なる結論が得られ、…の増加は見られなかった。
The study by Jones (1990) offers probably the most comprehensive empirical analysis of ...	Jonesによる研究(1990)は、…についての最も包括的な実証的分析だろう。

In an analysis of X, Smith *et al.* (2012) found ...	Xについての分析で、Smithらは…を見出した(Smithら, 2012)。
In a follow-up study, Smith *et al.* (2009) found that ...	フォローアップ研究で、Smithらは…を見出した(Smithら, 2009)。
In an investigation into X, Smith *et al.* (2012) found ...	Xについて調べる研究で、Smithらは…を見出した(Smithら, 2012)。
In a study investigating X, Smith (2004) reported that ...	Xについての研究で、Smithは、…であることを報告した(Smith, 2004)。
In a comprehensive study of X, Jones (2001) found that ...	Xについての包括的研究で、Jonesは…を見出した(Jones, 2001)。
In a study conducted by Smith (1978), it was shown that ...	Smithが実施した研究(Smith, 1978)で、…が見出された。
In studies of rats given X, Smith and colleagues found that ...	Xを与えられたラットの研究で、Smithらは…を見出した。
In a study which set out to determine X, Smith (2012) found that ...	Xを判定するために実施した研究で、Smithは…を見出した(Smith, 2012)。
In a randomized controlled study of X, Smith (2012) reported that ...	Xについてのランダム化した対照研究で、Smithは、…であることを報告した(Smith, 2012)。
In another major study, Smith (1974) found that just over half of the ...	別の主要な研究で、Smithは、…の半分強が…であることを見出した(Smith, 1974)。

In a recent cross-sectional study, Smith (2006b) investigated whether ...	最近の横断的研究で、Smithは、…かどうかについて調べた(Smith, 2006b)。
In a large longitudinal study, Smith *et al.* (2012) investigated the incidence of X in Y.	大規模な縦断的研究で、Smithらは、YにおけるXの発生率を調べた(Smithら, 2012)。
In one well-known recent experiment, limits on X were found to be ... (Smith, 2013).	あるよく知られた最近の実験で、Xの限界が…であることが見出された(Smith, 2013)。

特定の先行研究に言及する（研究対象を目立たせる）

X, Y and Z appear to be closely linked (Smith, 2008).	X、Y、Zは、密接に関連しているようだ(Smith, 2008)。
To determine the effects of X, Jones *et al.* (2005) compared ...	Xの効果を判定するために、Jonesらは…を比較した(Jonesら, 2005)。
X appears to be positively related to both Y and Z (Smith, 2007).	Xは、YとZの両方と正の相関があるようだ(Smith, 2007)。
X was originally isolated from Y in a soil sample from ... (Jones *et al.*, 1952).	Xは、もとは、…で採取した土壌サンプル中のYから単離したものだった(Jonesら, 1952)。
The electronic spectroscopy of X was first studied by Smith and Jones in 1970.	Xの電子分光法は、最初、SmithとJonesによって1970年に研究された。
X formed the central focus of a study by Smith (2002) in which the author found ...	Xは、Smithが…を見出した研究(2002)の中心部分だった。
To better understand the mechanisms of X and its effects, Jones (2013) analyzed the ...	Xのメカニズムやその効果について理解を深めるために、Jonesは…を分析した(Jones, 2013)。
X was first demonstrated experimentally by Pavlov (Smith, 2002). In his seminal study ...	Xは最初に、Pavlovによって、実験で示された(Smith, 2002)。彼の独創的な研究で、…
The acid-catalyzed condensation reaction between X and Y was first reported by Smith in 1872.	XとYの酸を触媒とした凝縮反応は、Smithによって1872年にはじめて報告された。
The way in which X is regulated was studied extensively by Smith and colleagues (Smith *et al.*, 1995 and 1998).	Xがどのように調節されているかについては、Smithらによって広範に研究されている(Smithら, 1995, 1998)。

他の執筆者が文章で何を行っているかに言及する（著者を目立たせる）

In Chapter 2, Smith provides us with a number of important ...	2章で、Smithはいくつもの重要な…を示してくれている。

In the subsequent chapter, Smith examines the extent to which ...	次章で、Smithは、どこまで…かという範囲について吟味している。
By drawing on the concept of X, Smith has been able to show that ...	Xという概念に依拠することで、Smithは、…を示すことができた。
Some analysts (e.g. Jones, 2002) have attempted to draw fine distinctions between ...	…間を細かく区分しようとした分析者もいる(たとえばJones, 2002)。
Drawing on an extensive range of sources, the authors set out the different ways in which ...	広範な資料に依拠しつつ、著者らは、…であるような別の方法に着手している。
Other authors (see Smith, 2003; Jones, 2004) question the usefulness of such an approach.	他の著者(Smith, 2003; Jones, 2004を参照)は、そうしたアプローチの有用性に疑義を投げかけている。

In her review of ..., Smith(2012)は、…についてのレビューで、 In her major study, Smith(2012)は、主要な研究で、 In her seminal article, Smith(2012)は、独創的な論文で、 In her case study of ..., Smith(2012)は、…の事例研究で、 In her introduction to ..., Smith(2012)は、…の序論で、 In her classic critique of ..., Smith(2012)は、…の古典的批評で、 In her historical account of ..., Smith(2012)は、…についての歴史的記述で、 In her interesting analysis of ..., Smith(2012)は、…についての興味深い分析で、	Smith (2012) identifies five characteristics of ... 5つの特徴を特定しており、…

Smith (2014) Smith(2014)では、	distinguishes ... …を区別している。 calls our attention to ... …への注意を喚起している。 stresses the role played by ... …が演じる役割を強調している。 draws a distinction between ... …間を区別している。 emphasizes the importance of ... …の重要性を強調している。 challenges the misconception that ... …という誤解と取り組んでいる。 pinpoints a number of similarities between ... …間の類似性をいくつか正確に指摘している。 identifies X, Y, and Z as the major causes of ... X、Y、Zを…の主因として特定している。 draws on an extensive range of sources to assess ... …を評価するにあたって、広範な資料に依拠している。 highlights the need to break the link between X and Y. XY間の関連を断つ必要性を強調している。 uses examples of these various techniques as evidence that ... こうした種々のテクニックの例を、…する根拠として用いている。 mentions the special situation of Singapore as an example of ... …の例として、シンガポールの特別な状況に言及している。 draws our attention to distinctive categories of X often observed in ... …でよく見られるXの独特のカテゴリーの数々に注意が向く。

	discusses the challenges and strategies for facilitating and promoting ... …に便宜を図ったり…を促進したりする際の困難や戦略について論じている。 questions whether mainstream schools are the best environment for ... 主流の学派というのが…に際しての最良の環境かどうかについて疑問を投げかけている。 considers whether countries work well on cross-border issues such as ... …のような国境をまたぐ問題で、国がきちんと機能するかどうかについて考慮している。 provides in-depth analysis of the work of Aristotle showing its relevance to ... …との関連性を示しつつ、アリストテレスの仕事についての詳細な分析を提供している。 defines evidence based medicine as the conscious, explicit and judicious use of... エビデンスに基づく医療を、…の意識的・明瞭・賢明な使用だと定義している。 lists three reasons why the English language has become so dominant. These are: ... なぜ英語がここまで支配的になったのかについて、理由を3つ挙げている。つまり、… traces the development of Japanese history and philosophy during the 19th century. 19世紀における日本の歴史と哲学の展開を追っている。

二次文献に言及する

Smith (1973, cited in Jones, 2002) points out that ...	Smith(1973、Jones(2002)に引用)は、…という点について指摘している。
Smith draws on the work of Jones (1959) who suggested that ...	Smithは、…について示唆したJones(1959)の研究に依拠している。
Building on the work of Jones (2000), Smith (2005) argues that ...	Smith(2005)は、Jones(2000)の研究に依拠して、…だと論じている。
Smith (2003) revisits and updates the Jones (1996) model of X by ...	Smith(2003)は、…によって、Jones(1996)のXについてのモデルに立ち返り、このモデルを更新している。
Smith (2000, citing Jones, 1998) points out, X has been shown to result in ...	Smith(2000)は、Jones(1998)を引用しつつ、Xが結果的に…になることを指摘している。
The view that ... is supported by Smith (2003) who draws on Jones's (1996) comparison of ...	…という見解は、Jones(1996)による…の比較に依拠したSmithによって裏づけられている(Smith, 2003)。

他の執筆者の発想や立場に言及する(著者を目立たせる)

As argued by Smith (2003), X is far more cost effective, and therefore ...	Smith(2003)が論じるように、Xは費用対効果がはるかに高く、したがって…
According to Smith (2003), preventative medicine is far more cost effective, and therefore ...	Smith(2003)によると、予防医学ははるかに費用対効果が高く、したがって…

Smith (2013)	claims argues suggests maintains concludes points out	that	preventative medicine is far more cost effective than ...
Smith(2013)は、	予防医学は、…よりはるかに費用対効果が高いと〔主張／議論／示唆／主張／断定／指摘〕している。		

Smith (2013)	offers suggests proposes argues for makes the case for ...	an explanatory theory for ...
Smith(2013)は、	…を説明する理論〔を提供／を示唆／を提案／に賛意を表明／に強い賛意を表明〕している。	

同趣旨の別文献を示す

Similarly, Jones (2006) found that X ...
同様に、Jones(2006)は、Xが…であることを見出した。

In the same vein, Smith (1994) in his book *XYZ* notes ...
同じ流れで、Smith(1994)は、著書『XYZ』で、…であると記載している。

This view is supported by Jones (2000) who writes that ...
この見解は、…であると述べるJones(2000)によって裏づけられている。

Smith argues that her data support O'Brien's (1988) view that ...
Smithは、自らのデータが、…というO'Brien(1988)の見解を裏づけるものだと論じている。

Jones's (1986) work on X is complemented by Smith's (2009) study of ...
JonesのXについての研究(Jones, 1986)は、Smithの…についての研究(Smith, 2009)によって補完されている。

Almost every paper that has been written on X includes a section relating to ...
Xについて書かれた論文のほぼすべてに、…に関連するセクションがある。

Smith (2013) sees X as ... Smith（2013）は、Xを…だと見なしている。 Smith (2013) argues that ... Smith（2013）は、…であると論じている。	Jones (2014), like Smith, maintains that ... Jones（2014）も、Smith同様、…だと主張する。 Like Smith, Jones (2014) maintains that ... Smith同様、Jones（2014）も、…だと主張する。 Similarly, Jones (2013) makes the case for ... 同様に、Jones（2013）も、…に強く賛意を表明する。 Likewise, Jones (2013) holds the view that ... 同様に、Jones（2013）も、…という見解を保持する。 Supporting this view, Jones (2014) writes that ... この見解を支持しつつ、Jones（2014）は、…と述べる。 Adopting a similar position, Jones (2014) argues that ... 似たような立場をとりつつ、Jones（2014）は、…だと論じる。 In the same vein, Jones (2013) in his book *XXXXX* notes ... 同じ流れで、Jones（2013）は、彼の著作『XXXXX』で…と記載する。

対立する趣旨の別文献を示す

Other studies have concluded that ...	他の研究は、…であると結論づけている。
Unlike Smith, Jones (2013) argues that ...	Smithとは異なり、Jones（2013）は、…と論じている。
In contrast to Smith, Jones (2013) argues that ...	Smithとは反対に、Jones（2013）は、…と論じている。
A broader perspective has been adopted by Smith (2013) who argues that ...	…と論じるSmith（2013）は、広めの見解を採用している。
Contrary to previously published studies, Johnson *et al.* demonstrated the efficacy of ...	それまでに公表された研究とは異なり、Johnsonらは、…の効能を実証した。
Conversely, Smith (2010) reported no significant difference in mortality between X and Y.	逆に、Smith（2010）の報告では、XY間の致死率に有意な差は示されなかった。

Smith (2010) presents an X account, while Jones (2011) ...
Smith（2010）はXという説明を示すが、Jones（2011）は、…

While Smith (2008) focuses on X, Jones (2009) is more concerned with ...
Smith（2008）はXに注目するのに対し、Jones（2009）はむしろ…のほうに関心を寄せている。

Some writers (e.g. Smith, 2002) have attempted to draw fine distinctions between ... 著者によっては（たとえばSmith, 2002）、…間を細かく区分しようとしてきた。	Others (see Jones, 2003; Brown, 2004) question the usefulness of ... 他の著者（Jones, 2003; Brown, 2004を参照）は、…の有用性に疑問を投げかけている。

Some authors have mainly been interested in questions concerning X (Smith, 2001; Jones ...) 著者によっては、Xをめぐる疑問に主に関心を寄せてきた(Smith, 2001; Jones …)。	Others have highlighted the relevance of ... 他の著者は、…の関連性を強調している。

While Smith identifies X as the principal dimension of Y, Smithは、XをYの主要側面であるとして特定するが、	Jones (2000) has taken a different approach by focusing on ... Jones(2000)は、…に注目することで別のアプローチをとった。

対立する趣旨の文献を「however」で強調しながら示す

Much of the available literature on X deals with the question of ... Xについての入手可能な文献の大半で、…という問題が扱われている。	However, Smith (2008) is much more concerned with ... しかし、Smith(2008)は、…に対してそれよりはるかに強い関心を抱いている。

According to some studies, X is represented as ... (Smith, 2012; Davis, 2014). 研究によっては、Xは…であるとして示されている(Smith, 2012; Davis, 2014)。	However, others propose ... (Jones, 2014; Brown, 2015). とはいえ、…であると提案する研究もある(Jones, 2014; Brown, 2015)。

Smith (2013) found that X accounted for approximately 30% of Y. Smith(2013)は、XがYの30%程度を占めることを見出した。	Other researchers, however, who have looked at X, have found ... Jones (2010), for example, ... しかし、Xについて調べた他の研究者たちは、…であることを見出しており、たとえばJones(2010)は…

Smith (2002) reports that ... Smith(2002)は、…であると報告している。	Jones' (2010) study of Y, however, found little evidence of ... しかし、YについてのJonesの研究(Jones, 2010)では、…の根拠はほとんど見出されなかった。

直接引用を行うための表現

Commenting on X, Smith (2003) argues: '...'	Smith(2003)は、Xにコメントしつつ、「…」と論じている。
As Jones (2014: 215) states: 'there are many good reasons to be skeptical.'	Jones(2014: 215)も述べるように、「疑ってかかるだけの十分な理由がある」のである。

As Smith argues: 'In the past, the purpose of education was to ...' (Smith, 2000: 150).	Smithも論じるように、「過去には、教育の目的は…することだった」(Smith, 2000: 150)。
In the final part of the *Theses on Feuerbach,* Marx writes: 'Philosophers have hitherto only ...'	マルクスは、『フォイエルバッハに関するテーゼ』の最後の部分で、「これまで、哲学者は…しかしてこなかった」と述べている。
Sachs concludes: 'The idea of development stands today like a ruin in ...' (Sachs, 1992a: 156).	Sachsは、「開発という発想は、現在にあって、…における廃墟のような存在だ」と結論づけている(Sachs, 1992a: 156)。

As Smith	notes: '...' writes: '...' argues: '...' observes: '...' points out: '...' reminds us: '...'	(Smith 2013: 23).
Smithが	〔述べる/書く/論じる/観察している/指摘する/気づかせてくれる〕ように、「…である」	(Smith 2013: 23)。

レビューした研究をまとめる

Together, these studies indicate that ...	総体として、これらの研究は、…であることを示している。
Overall, these studies highlight the need for ...	全体として、これらの研究は、…の必要性を強調している。
Considering all of this evidence, it seems that ...	これらのエビデンスをすべて考慮すると、…であるようだ。
Collectively, these studies outline a critical role for ...	これらの研究は、全体として、…に対する必須の役割を描いている。
In all the studies reviewed here, X is recognized as ...	ここでレビューしたすべての研究で、Xは…であると認識されている。
The evidence presented in this section suggests that ...	このセクションで示した根拠は、…であることを示している。
The studies presented thus far provide evidence that ...	ここまで示してきた研究は、…だという根拠を示している。
Taken together, these studies support the notion that ...	全体として、これらの研究は、…という考え方を支持するものだ。
Overall, there seems to be some evidence to indicate that ...	全体として、…であることを示唆する論拠がいくつかあるようだ。
Together these studies provide important insights into the ...	全体として、これらの研究は、…についての重要な見通しを示している。

All of the studies reviewed here support the hypothesis that ...	ここでレビューした研究のすべてが、…という仮説を支持している。
Two important themes emerge from the studies discussed so far:	ここまで検討してきた研究から、2つの重要なテーマが浮かび上がる。
However, such studies remain narrow in focus dealing only with ...	しかし、こうした研究は、着目範囲が狭いままで、…しか扱っていない。
The evidence reviewed here seems to suggest a pertinent role for ...	ここでレビューしたエビデンスは、…について、関連した役割を示しているようだ。
These studies clearly indicate that there is a relationship between ...	これらの研究は、…間に関係があることを明瞭に示唆している。
In view of all that has been mentioned so far, one may suppose that ...	ここまでの全言及内容にかんがみ、…であると想定することが可能である。
There remain several aspects of X about which relatively little is known.	Xには、あまり知られていない側面がまだいくつか残っている。

Overall, these studies 全体として、これらの研究は、	suggest that ... …であることを示している。 suggest the efficacy of ... …の有効性を示している。 suggest an inverse association between ... …間の逆の相関を示している。 suggest that the self-report method possesses ... 自己報告という方法が…を持つことを示している。 suggest that both X and Y play a role in the development of ... …の発達においてXとYの両方が役割を果たしていることを示している。
	illustrate how ... どのように…なのかを示している。 illustrate the role of ... …の役割を示している。 illustrate the flexibility of ... …の柔軟性を示している。 illustrate the heterogeneity of ... …の不均一性を示している。 illustrate just how important X is in ... Xが…においてどれだけ重要なのかを示している。
	highlight the need for ... …の必要性を強調している。 highlight the complexity of ... …の複雑さを強調している。 highlight the positive aspects of ... …のポジティブな側面を強調している。 highlight the beneficial effects of ... …の有利な影響を強調している。 highlight the unique relationship between ... …間の独特な関係を強調している。
	indicate a link between ... …間の関連を示唆している。 consistently indicate that ... 一貫して、…であることを示唆している。 clearly indicate the importance of ... 明瞭に、…の重要性を示唆している。 indicate that Xs are often important predictors of ... Xが…の重要な前兆であることも多いことを示唆している。 indicate that the X has only a slight impact, if any, on ... Xが…に及ぼす影響は、仮にあったとしてごくわずかでしかないことを示唆している。

	provide mixed evidence for ... …に対する入り交じった根拠を提供している。 provide converging evidence for ... …に対するまとまった根拠を提供している。 provide evidence for the usefulness of ... …の有用さをめぐる根拠を提供している。 provide strong evidence for the efficacy of ... …の有効性についての強力な根拠を提供している。 provide reasonably consistent evidence of an association between ... …間の連携についてかなり一貫した根拠を提供している。
	show weak evidence of ... …の弱い根拠を示している。 show that Xs may serve as important ... Xが重要な…を果たしうることを示している。 show a modest correlation between X and Y. XY間にそれなりの相関があることを示している。 show that X is caused by a complex system of ... Xが、…という複雑なシステムによって引き起こされることを示している。 show that a change from X to Y is usually associated with ... XからYへの変化には通常…と関連していることを示している。

文献レビューのセクションをまとめる

The previous section has shown that ...	ここまでのセクションで、…であることが示された。
In conclusion, these studies show that ...	結論として、これらの研究は、…であることを示している。
The evidence reviewed here seems to suggest ...	ここでレビューしたエビデンスは、…であることを示しているようだ。
To conclude this section, the literature identifies ...	この節を終えるにあたって、本論は…であることを認めるものだ。
This review has demonstrated the shortcomings of ...	このレビューによって、…の欠点が示された。
In summary, it has been shown from this review that ...	まとめると、このレビューでは…であることが示された。
Taken together, these studies support the notion that ...	総体として、これらの研究は、…という考え方を支持するものだ。
In summary, little is known about the interrelationships between ...	まとめると、…間の相互関係については、ほとんどわかっていない。
This section has attempted to provide a brief summary of the literature relating to ...	このセクションでは、…に関連する文献について、簡単なまとめを試みた。

第3章 方法を説明するための表現

学位論文や研究論文の「方法（Methods）」のセクションでは、執筆者は、自分がどのように研究を行ったのかについて述べる。

「方法」のセクションというのは、経験を積んだ研究者であれば研究を再度実施して結果を再現できる程度には明瞭かつ詳しく記載されていなければならないわけで、研究にあたって選択した方法が新規だったり、あまり知られていなかったり、議論の余地があったり、想定読者が多分野にまたがっていたりする場合、「方法」のセクションはどうしても長めになる。

以下では、学位論文や研究論文の「方法」セクションに出てくる各種の典型的な表現を具体的に示していく。

なお、本章後半に出てくるプロセスを説明する表現では、動詞が単純過去時制、それも受動態で使用されている点に注意されたい。

以前から使われている方法について説明する

Many researchers have utilized X to measure ...	多くの研究者が、…を測定するためにXを利用してきた。
One of the most well-known tools for assessing ...	…を評価するうえで最もよく知られたツールのひとつが…、
Traditionally, X has been assessed by measuring ...	伝統的に、Xは、…を測定することで評価されてきた。
A number of techniques have been developed to ...	…するために、いくつもの技法が開発されてきた。
Different methods have been proposed to classify ...	…を分類するために、各種の方法が提案されている。
X is the main non-invasive method used to determine ...	Xは、…について判断する際に使用される主要な非侵襲的方法だ。
Different authors have measured X in a variety of ways.	いろいろな著者が、各種の方法でXを測定してきた。
Several methods currently exist for the measurement of X.	Xの測定には、現時点でもいくつかの方法がある。
Previous studies have based their criteria for selection on ...	これまでの研究では、選択の基準が…であった。
X is one of the most common procedures for determining ...	Xは、…について決める際に使用されることが特に多い方法のひとつだ。

There are three main types of study design used to identify ...	…を特定する際に使用される研究デザインには、主要なタイプが3つある。
The use of life story data has a relatively long tradition within X.	ライフ・ストーリーのデータを使用することに関しては、Xには比較的長い伝統がある。
Recent advances in X methods have facilitated investigation of ...	最近、X法が進歩したことで、…の研究が容易になった。
There are a number of instruments available for measuring the ...	…の測定には、いくつかの装置が利用可能だ。
X and Y are currently the most popular methods for investigating ...	XとYは、現在、…を調べるうえで最も一般的な方法だ。
Recently, simpler and more rapid tests of X have been developed.	近年、Xのもっと単純で迅速な試験が開発されている。
In most recent studies, X has been measured in four different ways.	最新の研究では、Xは異なる方法4種で測定されている。
The use of qualitative case studies is a well-established approach in ...	定性的な事例研究の利用というのは、…では定評のあるアプローチだ。
Xs have been used in the past to investigate the mechanical properties of ...	Xは、過去には、…の機械的特性を調べるために使用されていた。
Case studies have been long established in X to present detailed analysis of ...	事例研究は、Xでは、…についての詳細な分析を示すうえで長年定番だった。
Since the 1950s, researchers have used a multitude of scientific methods to ...	1950年代以来、研究者は…のために数多くの科学的方法を用いてきた。
This test is widely available and has been used in many investigational studies.	この試験は入手が容易で、多くの調査研究で使用されてきた。
To date, various methods have been developed and introduced to measure X.	これまで、Xを測定するために、各種の方法が開発され、導入されてきた。
In recent years, two different approaches have attempted to account for the ...	近年、…を説明するために、2つの異なるアプローチが試みられている。
The methods for measuring X have varied somewhat across this research area.	Xの測定に用いられる方法は、この研究領域では多少異同があった。
In recent years, molecular methods have been utilized for the quantification of ...	近年、…の定量化には分子的手法が使用されている。
A variety of methods are used to assess X. Each has its advantages and drawbacks.	Xの評価には各種の方法が使用されており、それぞれに得失がある。

More recent examples of narrative studies within X can be found in the work of Smith (2010).	Xで実施された最近のナラティブ研究の事例は、Smithの研究（2010）に載っている。
Two of the most common methods for estimating X are the use of Y and the measurement of Z.	Xを推定するうえで最も一般的な2つの方法が、Yの使用とZの測定である。

X studies Studies of X Xの研究では、	have traditionally 伝統的に、	employed ... …を用いてきた。 based their approaches on ... …に基づくアプローチに依拠してきた。 used model systems to predict ... …を予測する際にモデルシステムを用いてきた。 adopted functionalist perspectives. 機能主義の視角を用いてきた。 utilized a population-based approach. 集団ベースのアプローチを用いてきた。 relied upon participant observation as ... …として参与観察に依拠してきた。

Various Different 各種の	methods have been 方法が、	utilized to proposed to employed to	assess ... …を評価するにあたって〔利用／提案／採用〕されてきた。 test for ... …を試験〜 identify ... …を特定〜 capture ... …を捕捉〜 quantify ... …を定量化〜 measure ... …を測定〜 determine ... …を判定〜 investigate ... …を調査〜

特定の方法を採用した理由を述べる

A major advantage of X is that ...	Xの主要な利点は、…だ。
The benefit of this approach is that ...	このアプローチの利点は、…ということだ。
The decision to use X was based on ...	Xを使用するという判断は、…に基づくものだった。
X based methods provide a means of ...	Xをベースとする方法は、…の手段となる。
X was selected for its reliability and validity.	Xを選んだのは、信頼性と妥当性ゆえである。
A case study approach was used to allow a ...	事例研究というアプローチを、…を可能とするために使用した。
This method is particularly useful in studying ...	この方法は、…を研究するうえで特に有用だ。
A quantitative approach was employed since ...	…という理由で、定量的なアプローチを用いた。

Qualitative methods offer an effective way of ...	定性的な方法は、…するうえで有効な方法となる。
The design of the questionnaires was based on ...	質問票は、…に基づいて設計した。
The X method is one of the more practical ways of ...	X法は、…するうえで実践性の高い方法のひとつだ。
The semi-structured approach was chosen because ...	…という理由で、半構造化されたアプローチを選んだ。
The X approach has a number of attractive features: ...	Xアプローチには、魅力的な特徴がいくつもある。すなわち…
The advantages of Xs are that they are simple to deliver.	Xの利点は、送達が単純なことにある。
The second advantage of using the multivariate method is ...	多変量法を使用する2つ目の利点は、…だ。
The study uses qualitative analysis in order to gain insights into ...	この研究は、…についての識見を得るために定性的な分析を使用する。
One advantage of the X analysis is that it avoids the problem of ...	X分析の利点のひとつが、この分析では…という問題が起きないことだ。
Another advantage of using computer simulations is that it allows ...	コンピューター・シミュレーションを用いるもうひとつの利点が、…が可能になることだ。
Continuous sampling methods have a number of advantages over ...	連続サンプリング法には、…と比べていくつもの利点がある。
The collaborative nature of the focus group offers another advantage ...	フォーカスグループならではの共同作業的な性格が、…のもうひとつの利点だ。
It was decided that the best method to adopt for this investigation was to ...	この研究用に採用する方法として最良なのは、…することだと判断した。
Qualitative methods can be more useful for identifying and characterizing ...	…を特定して特徴を記載するうえでは、定性的な方法のほうが有用な可能性がある。
Many of the distributions were not normal so non-parametric signed rank tests were run.	分布の多くは正規分布ではなかったので、ノンパラメトリックな符号順位検定を実施した。
It was considered that quantitative measures would usefully supplement and extend the ...	定量的な手段なら、…を有用なかたちで補い拡張できるだろうと考えた。

A case-study approach was 事例研究のアプローチを	chosen adopted	to help understand how ... どのように…かの理解を深めるために〔選択／採用〕した。 to allow a deeper insight into ... …の理解を深める〜 to conduct this exploratory study. この探索的研究を行う〜 to evaluate the effectiveness of ... …の有効性を評価する〜 to gain a detailed understanding of ... …について詳しく理解する〜 to determine the factors that affect ... …に影響する要因を判定する〜 to assess the management practices of ... …の管理実践を評価する〜 to obtain further in-depth information on the ... …をめぐってさらに詳しい情報を得る〜 to capture the complexities of the phenomenon. 現象の複雑さを把握する〜 to provide rounded, detailed illustrations of the ... …を多角的に詳しく例示する〜

A(n) The One	key major distinct obvious practical potential additional important significant	advantage	of using	Z-scores focus groups a rating scale secondary data self-report data longitudinal data retrospective data regression analysis natural speech data semi-structured interviews a convenience sample a case study approach a comparative approach a mixed method approach a multidimensional approach	is that ...
〔Zスコア／フォーカスグループ／評価尺度／二次的なデータ／自己報告データ／縦断的データ／後ろ向きデータ／回帰分析／自然会話のデータ／半構造化されたインタビュー／／便宜的標本／事例研究のアプローチ／比較アプローチ／混合研究法のアプローチ／多次元的アプローチ〕を使用することの 〔主要な／主な／明確な／明らかな／実践的な／潜在的な／さらなる／重要な／有意な〕利点は、					…ということにある。

X is one of the most	successful widely-used commonly-used	methods techniques	for (used for)	dating ... gathering ... collecting ... evaluating ... estimating ... measuring ... identifying ... determining ...
Xは、…を〔年代測定／収集／回収／評価／推定／測定／特定／判定〕する（のに使用する）うえで、最も〔上首尾な／広く使用される／よく使用される〕〔方法／技法〕のひとつである。				

方法やアプローチの正当性を文献で裏づける

In a recent article, Smith (2009) argues that case studies offer ...	最近の論文で、Smith（2009）は、事例研究によって…が明らかになると論じている。
Smith *et al.* (1994) identify several advantages of the case study ...	Smithら（1994）は、事例研究の利点をいくつか特定し、…
Jones (2012) argues that case studies are useful when the conditions of the research ...	Jones（2012）は、研究条件が…である場合には事例研究が有用だと論じている。
According to Smith (2011), semi-structured interviews have a wide-spread popularity in ...	Smith（2011）によると、…では、半構造化されたインタビューが広く普及しているという。
The sensitivity of the X technique has been demonstrated in a report by Smith *et al.* (2011).	X法の感度は、Smithらの報告（2011）で実証されている。
Jones (2006) points out that there is a role for both qualitative and quantitative approaches in ...	Jones（2006）は、…では、定性的なアプローチも定量的なアプローチも有用だと指摘している。

特定の方法を採用しなかった理由を述べる

The limitation of this approach is that ...	このアプローチの限界は…にある。
A disadvantage of many cohort studies is that ...	多くのコホート研究は、…という点で不利だ。
A major problem with the experimental method is that ...	この実験的な方法の主要な問題点として、…がある。
The main disadvantage of the experimental method is that ...	この実験的な方法が不利なのは、主に…ゆえだ。

The principal limitation of the experimental approach is that ...	この実験的アプローチの限界は、主に…という点にある。
However, there are certain drawbacks associated with the use of ...	しかし、…の利用にはある程度の不利がともなう。
However, this method clearly is not valid for analyzing long-term trends in ...	しかし、この方法は、…での長期的傾向を分析するうえで、明らかに有効性を欠いている。
There are obvious difficulties in accepting the reliability of self-report information.	自己報告情報の信頼性を認めるというのには、明らかな困難がいくつもある。
There are certain problems with the use of focus groups. One of these is that there is less ...	フォーカスグループの利用にはある種の問題があり、そのひとつは、…が少ないことだ。

具体的な方法を示す

The solution was then assayed for X using the Y method.	次に、Y法を用いて、溶液をXについて分析した。
X was prepared according to the procedure used by Jones *et al.* (1957).	Xを、Jonesら(1957)が用いた方法にしたがって調製した。
The synthesis of X was done according to the procedure of Smith (1973).	Xの合成を、Smith(1973)の方法にしたがって実施した。
X was synthesized using the same method that was detailed for Y, using ...	Xを、Yについて詳述されているのと同じ方法で、…を用いて合成した。
Samples were analyzed for X as previously reported by Smith *et al.* (2012).	Smithら(2012)が以前報告したのと同様にして、サンプルをXについて分析した。
Analysis was based on the conceptual framework proposed by Smith *et al.* (2002).	分析は、Smithら(2002)が提案した概念枠組みにしたがって行った。
This compound was prepared by adapting the procedure used by Jones *et al.* (1990).	この化合物は、Jonesら(1990)で使用された方法を採用することによって調製した。

サンプルの特徴を記述する

The cohort was divided into two groups according to ...	コホートを、…にしたがって2グループに分けた。
A random sample of patients with ... was recruited from ...	…を有する患者のランダムなサンプルを、…から集めた。

Articles were searched from January 1965 until April 2014.	文献は、1965年1月から2014年4月までのものを検索した。
The sample was representative with respect to gender and ...	サンプルは、性別や…を代表するようなものとした。
Forty-seven students studying X were recruited for this study.	この研究のために、Xを学ぶ学生47名を集めた。
A systematic literature review was conducted of studies that ...	…する研究についての体系的な文献レビューを行った。
Just over half the sample (53%) was female, of whom 69% were ...	サンプルの半数強(53%)が女性で、そのうち69%が…
Of the initial cohort of 123 students, 66 were female and 57 were male.	最初のコホートである学生123名のうち、66名が女性、57名が男性だった。
Eligible women who matched the selection criteria were identified by ...	選択基準に適合する適格な女性を、…によって識別した。
Only children aged between 10 and 15 years were included in the study.	研究では、10歳から15歳の子どものみを対象とした。
The participants were divided into two groups based on their performance on ...	参加者を、…の遂行能力に基づいて2グループに分けた。
Two groups of subjects were interviewed, namely X and Y. The first group was ...	2グループの対象者、つまりXグループとYグループをインタビューした。ひとつ目のグループは…
The project used a convenience sample of 32 first year modern languages students.	プロジェクトでは、現代語を学ぶ初年度の学生32名という便宜的標本を使用した。
All of the participants were aged between 18 and 19 at the beginning of the study ...	参加者は全員、研究開始時点で18歳から19歳だった。
All studies described as using some sort of X procedure were included in the analysis.	X法の類型を用いたと記載されている研究は、すべて分析の対象とした。
Participants were recruited from 15 clinics across ..., covering urban and rural areas ...	参加者は、都市部と農村部を含む…に広がる15の診療施設から集めた。
The initial sample consisted of 200 students, 75 of whom belonged to minority groups.	最初の標本は学生200名から構成され、うち75名はマイノリティーグループの学生だった。
Semi-structured interviews were conducted with 17 male offenders with a mean age of 38 years.	平均年齢38歳の男性犯罪者17名について、半構造化したインタビューを実施した。

選択や採用の基準を示す

Criteria for selecting the subjects were as follows: ...	対象を選択する際の基準は、以下のとおりとした。すなわち…
Publications were only included in the analysis if ...	刊行物については、…の場合にのみ分析に含めた。
The participants in this study were recruited from ...	この研究の参加者は、…から集めた。
To identify X, the following parameters were used: ...	Xを特定するために、以下のパラメーターを使用した。すなわち…
The area of study was chosen for its relatively small ...	研究領域は、…が比較的小さいことから選んだ。
Primary inclusion criteria for the X participants were ...	X参加者の一次的な組み入れ基準は…とした。
Eligibility criteria required individuals to have received ...	適格性の基準では、各人が…を受けていることを求めた。
Five individuals were excluded from the study on the basis of ...	…に基づいて、5名を研究から除外した。
A small sample was chosen because of the expected difficulty in obtaining ...	…を得るのは困難であることが予想されたので、小さなサンプルを選んだ。
The subjects were selected on the basis of the degree of homogeneity of their ...	被験者は、彼らの…についての均一性の程度に基づいて選んだ。
A comparison group of 12 male subjects without any history of X was drawn from a pool of ...	Xの経歴のない対照群男性12名を、…のプールから選んだ。

プロセスを説明する（動詞の受動態を使用）

All participants were sent ...	参加者全員に、…が送付された。
The data were normalized using ...	データは、…を用いて正規化した。
Ethical approval was obtained from ...	…から、倫理面での承認を得た。
Drugs were administered by ICV injection ...	薬剤を脳室内注射によって投与し、…
Descriptive data were generated for all variables.	変数すべてについて、記述的データを生成した。

The procedures of this study were approved by ...	この研究の手順は、…によって承認された。
Prompts were used as an aid to question two so that ...	…できるよう、質問2の補助としてプロンプトを用いた。
Data were collected using semi-structured interviews in ...	半構造化されたインタビューを…で用いて、データを集めた。
Participants were thanked for their time and effort and for ...	参加者には、彼らが支払った時間や努力、そして…について謝意を表明した。
The experiments were run using custom software written in...	実験は、…に記載されている特注のソフトウェアを用いて実施した。
Two sets of anonymized questionnaires were completed by ...	匿名化した質問票2セットが、…によって完答された。
A total of 256 samples were taken from 52 boreholes (Figure 11).	52の試錐孔から、合計256サンプルを採取した(図11)。
The solution was washed three times with deionized water and ...	溶液を脱イオン水で3回洗浄し、…
Significance levels were set at the 1% level using the Student *t*-test.	スチューデント*t*検定を用いて、有意水準を1%の水準で設定した。
Data management and analysis were performed using SPSS 16.0 (2010).	データの管理と分析は、SPSS 16.0(2010)を用いて実施した。
Published studies were identified using a search strategy developed in ...	…で開発された検索戦略を用いて、公表されている研究を特定した。
Data were gathered from multiple sources at various time points during ...	データは、…期間中の各時点で複数の資料から集めた。
Injection solutions were coded by a colleague to reduce experimenter bias.	注射液は、実験者によるバイアスを減らすために、同僚によって暗号化された。
The pilot interviews were conducted informally by the trained interviewer ...	パイロットインタビューが、訓練を受けたインタビュワーによって非公式に実施され、…
Article references were searched further for additional relevant publications.	追加の関連文献について、参考文献をさらに検索した。
The experiments were conducted over the course of the growing period from ...	実験は、…からの生育期間を通じて実施され、…
Blood samples were obtained with consent, from 256 Caucasian male patients ...	血液サンプルは、白人男性患者256名から同意を得て採取し、…
The participants were asked to pay close attention to the characters whenever ...	参加者は、…するときは常に登場人物に細心の注意を払うよう求められた。

Independent tests were carried out on the X and Y scores for the four years from ...	XとYのスコアについて、…から4年間にわたって独立した試験を実施した。
This experiment was repeated under conditions in which the poor signal/noise ratio was improved.	この実験を、低かったSN比が改善された条件で再度実施した。
The mean score for the two trials was subjected to multivariate analysis of variance to determine ...	2治験の平均スコアを多変量分散分析にかけて、…を判定した。

The participants were asked 参加者は、	to rate ... …を評価するよう求められた。 to recall ... …を想起～ to attend ... …に出席～ to indicate ... …を示唆～ to say whether ... …かどうかについて発言～ to comment on ... …にコメント～ to complete two tasks. 課題2つを完成～ whether they believed ... …を信じているかどうか尋ねられた。 to provide feedback on ... …へのフィードバックを提供～ a variety of questions about ... …をめぐる各種の質問を受けた。 to describe an instance when ... …したような例について説明～ to explain what happened during ... …の間に何が起こったのかを説明～ a series of open-ended questions that ... …するような一連の自由形式での質問を受けた。 to describe what had happened when ... …したときに何が起こったのかを描写～ to complete a 20 question survey about ... …をめぐる質問20個を含む調査を完了～

プロセスを説明する（時系列を示す語句を使用）

To begin this process, ... このプロセスをはじめるにあたって、… The first step in this process was to ... このプロセスの最初の工程は、…することだった。 The second method used to identify X involved ... Xを特定するうえで使用した2つ目の方法は、…を含んでいた。	
Prior to	commencing the study, ethical clearance was sought from ... 研究開始に先だって、…に倫理面での承認を求めた。 analyzing the interview data, the transcripts were checked for ... インタビューのデータを分析するのに先だって、書き起こし原稿を…について確認した。 undertaking the investigation, ethical clearance was obtained from ... 調査の実施に先だって、…から倫理面での承認を得た。 data collection, the participants received an explanation of the project. データを集めるのに先だって、参加者は、プロジェクトの説明を受けた。

<table>
<tr><td>After</td><td>'training', the participants were told that ...
「訓練」後、参加者は…といわれた。
collection, the samples were shipped back to X in ...
サンプルは回収後、…でXまで送り返された。
testing for the presence of antibodies, the blood was ...
抗体の存在について検査を行った後、血液の…を行った。
the appliance was fitted, the patients attended X every four weeks.
器具の取り付け後、患者は4週間ごとにXに参加した。</td></tr>
<tr><td>On</td><td>arrival at the clinic, patients were asked to ...
患者は、診療施設に到着した時点で、…するようにいわれた。
completion of X, the process of parameter estimation was carried out.
Xを完了した時点で、パラメーター推定プロセスを実施した。
obtaining written informed consent from the patients, a questionnaire was ...
患者から書面でインフォームド・コンセントを受領した時点で、質問用紙を…</td></tr>
<tr><td>Once</td><td>the samples were extracted, it was first necessary to ...
サンプルを抽出したら、まず…することが必要だった。
the Xs were located and marked, a thin clear plastic ruler ...
Xの所在を確認して印をつけたら、薄くて透明なプラスチック定規を…
the exposures were completed, the X was removed from the Y and placed in ...
暴露が完了したら、XをYから取り出して…に置いた。
the positions had been decided upon, the Xs were removed from each Y and ...
位置を決断したら、Xを各Yから取り除き、…</td></tr>
<tr><td>Following</td><td>correction for ..., X was reduced to ...
…を訂正してから、Xを…まで減少した。
conformational analysis of X, it was necessary to ...
Xの配座解析を実施してから、…することが必要だった。
administration of X to patients, we assessed the effects on ...
Xを患者に投与してから、我々は…への影響を評価した。
this treatment, the samples were recovered and stored overnight at ...
この処置を実施してから、サンプルを回収し、…に一晩貯蔵した。</td></tr>
<tr><td colspan="2">The participants were then shown a film individually and were asked to ...
次に、参加者は、個々に映像を見せられ、…するよう求められた。
The soil was then weighed again, and this weight was recorded as ...
次に、土壌を再度秤量し、この重量を…として記録した。
These ratings were then made for the ten stimuli to which the subject had been exposed ...
次に、これらの評価を、対象に加えられた10回の刺激について行い、…
The preparation was then placed in a custom-built microfluidics chamber, covered with ...
次に、調製物を、…でカバーした特注のマイクロ流体チャンバーに入れた。</td></tr>
<tr><td>When</td><td>dividing X, care was taken to ...
Xの分割時には、…に留意した。
removing X, it was important to ...
Xの除去時には、…することが重要だった。
inviting the participants, the purpose of the research was clearly explained.
参加者の招待時には、研究目的をはっきり説明した。</td></tr>
</table>

Finally, questions were asked as to the role of ...
最後に、…の役割についての質問を行った。
In the follow-up phase of the study, participants were asked ...
研究のフォローアップフェーズでは、参加者は…と尋ねられた。
The final stage of the study comprised a semi-structured interview with participants who ...
研究の最終段階では、…であるような参加者に半構造化インタビューを行った。

プロセスを説明する（「using＋道具・手段」を使用）

All the work on the computer was carried out *using* ...	コンピューターでの作業は、すべて、…を用いて実施した。
Data were collected *using* two high spectral resolution Xs.	データは、2台の高スペクトル分解能装置Xを用いて集めた。
Semi-automated genotyping was carried out *using* X software and ...	半自動化された遺伝子型判定を、Xソフトウェアを用いて実施し、…
Using the X-ray and looking at the actual X, it was possible to identify ...	X線を用いて実際のXを見ることで、…を特定することが可能であった。
Comparisons between the two groups were made *using* unrelated *t*-tests.	2グループ間の比較を、対応のない*t*検定を用いて実施した。
The data were recorded on a digital audio recorder and transcribed *using* a ...	データは、デジタルオーディオ・レコーダーに記録し、…を用いて書き起こした。
Statistical significance was analyzed *using* analysis of variance and *t*-tests as appropriate ...	統計的有意性は、分散分析と*t*検定を適宜用いて分析し、…
15 subjects were recruited *using* email advertisements requesting healthy students from ...	…から、健康な学生を募る電子メール広告を用いて15名を採用した。

プロセスを説明する（様態の副詞を使用）

The resulting solution was *gently* mixed at room temperature for ...
得られた溶液を、…のために室温でゆっくりかきまぜた。
A sample of the concentrate was then *carefully* injected into ...
次に、濃縮液のサンプルを、…に注意深く注入した。
The soil was then placed in a furnace and *gradually* heated up to ...
次に、土壌を炉内に置き、…まで徐々に加熱した。
The vials were shaken *manually* to allow the soil to mix well with the water.
バイアルを用手的に振り混ぜ、土壌が水と十分混ざるようにした。
The medium was then *aseptically* transferred to a conical flask.
次に、溶媒を三角フラスコに無菌的に移した。

The tubes were *accurately* reweighed to six decimal places using ...
試験管を、小数点以下第6位まで、…を用いて正確に再秤量した。

プロセスを説明する（目的のto不定詞を使用）

In order to investigate the effects of ...	…の効果を調べるために、
In order to identify ..., the participants were asked to ...	…を特定するために、参加者は…するよう求められた。
In order to help familiarize participants with ..., they were asked to ...	…に慣れることができるよう、参加者は…することを求められた。
In order to address these ethical concerns, the following steps were taken: ...	こうした倫理上の懸念に対処するために、以下のステップを採用した。すなわち…
In order to understand how X regulates Y, a series of transfections was performed.	XがどのようにYを調節するか理解するために、一連のトランスフェクションを実施した。

To avoid ...	…を防ぐために、
To test whether ...	…かどうかを検証するために、
To establish whether ...	…かどうかを確認するために、
To better understand how ...	どのように…なのかについての理解を深めるために、
To address the possibility of ...	…の可能性に対処するために、
To measure X, a question asking ... was used.	Xを測定するために、…について問う質問を用いた。
To determine whether ..., the cells were incubated for ...	…かどうかを判定するために、細胞を…にわたって恒温培養した。
To rule out the possibility that ..., the participants were ...	…という可能性を除外するために、参加者は、…
To control for bias, measurements were carried out by another person.	バイアスがかからぬよう、測定は別の人が実施した。
To assess whether and how Xs are produced and received, we measured ...	Xが生成され、受けとられているかどうか、そして、どのように生成され、受けとられているかについて評価するために、…の測定を実施した。
To see if the two methods gave the same measurement, the data were plotted and ...	2つの方法で同じ測定値が得られるかどうかを見るために、データをプロットし、…
To compare the scores three weeks after initial screening, a global ANOVA F-test was used.	最初のスクリーニングから3週間経過後のスコアを比較するために、グローバルな分散分析のF検定を使用した。

To enable the subjects to see the computer screen clearly, the laptop was configured with ...	対象者がコンピューター画面をはっきりと見られるよう、ノートパソコンを…を用いて配置した。
To increase the reliability of measures, each X was tested twice with a 4-minute break between ...	方法の信頼性を増すために、各Xは、…間に4分の間隔を置いて2回テストした。
The vials were capped with X to prevent ...	バイアルはXで蓋をして、…を防ぐようにした。
The process was repeated several times in order to remove ...	プロセスを数回繰り返して、…を除去した。
In an attempt to make each interviewee feel as comfortable as possible, the interviewer ...	インタビューを受ける各人がなるべくくつろげるよう、インタビュワーは、…
The interview schedule comprised structured and open questions to identify and explore ...	インタビュー方式は、…を特定して調べるべく、構造化された質問と自由形式の質問からなるものとした。

プロセスを説明する（目的を表す他の表現を使用）

For the attitude questions, a Likert scale was used.	意向の質問のために、リッカート尺度を用いた。
For the purpose of analysis, two segments were extracted from each ...	分析目的で、それぞれの…から2セグメントを抽出した。
For the purpose of height measurement, participants were asked to stand ...	身長を測定するために、参加者は立つよう求められ、…
For the estimation of protein concentration, 100 μL of protein sample was mixed with ...	タンパク質濃度を推定するために、タンパク質のサンプル100μLを…と混合した。

プロセスを説明する（統計処理について）

The data were normalized using ...	データは、…を用いて正規化した。
A p value<0.05 was considered significant.	p値<0.05を有意と考えた。
Descriptive data were generated for all variables.	全変数について記述データを生成した。
Reliability was calculated using Cronbach's alpha.	信頼性は、クロンバックのαで計算した。
All analyses were carried out using SPSS, version 20.	分析はすべて、SPSSのversion 20を用いて行った。
Non-parametric tests were used to compare the number of ...	…の数を比較するにあたっては、ノンパラメトリック検定を用いた。

Independent sample *t*-tests were carried out to assess whether ...	…かどうかを評価するために、独立したサンプルの*t*検定を実施した。
Statistical analysis was performed using SPSS software (version 20).	統計分析は、SPSSのソフトウェア（version 20）を用いて実施した。
Significance levels were set at the 1% level using the Student *t*-test.	有意水準は、スチューデント*t*検定を用いて1%の水準に設定した。
Data management and analysis were performed using SPSS 16.0 (2010).	データ管理と分析は、SPSS 16.0（2010）を用いて実施した。
A Pearson correlation analysis was conducted in order to assess the strength of ...	…の強度を評価するために、ピアソン相関分析を行った。
The mean score for the two trials was subjected to multivariate analysis of variance to determine ...	2治験の平均スコアを多変量分散分析にかけて、…を判定した。

問題点・限界について述べる

In particular, the analysis of X was problematic.	具体的には、Xの分析には問題が多かった。
In observational studies, there is a potential for bias from ...	観察的な研究では、…のバイアスがかかる可能性がある。
The small size of the dataset meant that it was not possible to ...	データセットのサイズが小さいことは、…が不可能であることを意味していた。
Further data collection is required to determine exactly how X affects Y.	XがどのようにYに影響するのかを正確に判定するためには、データをさらに集める必要がある。
Another major source of uncertainty is in the method used to calculate X.	不確実性の原因としてもうひとつ大きいのは、Xの計算に使用した方法である。
In this investigation there are several sources for error. The main error is ...	この研究には、エラーの原因がいくつかある。主要なエラーは、…である。
It was not possible to investigate the significant relationships of X and Y further because ...	…であるため、XY間の有意な関係をそれ以上調べることはできなかった。
The responses relating to X were subjective and were therefore susceptible to recall bias.	Xに関係した応答は主観的であり、したがって、想起バイアスが影響した可能性がある。

第4章 結果を記載するための表現

研究論文や学位論文の「結果（Results）」のセクションでは、結果を体系的かつ詳細に提示し、記述するのが通例だ。

定性的な研究の結果を報告する場合は、分析で浮かび上がってきたテーマに焦点をあてつつ説明することになる。説明には生データからの抜粋が用いられることもあるし、テキストベースの研究なら、説明に一次資料からの引用を使うこともあるだろう。

定量的な研究の場合は、結果のセクションで図や表を用い、その中に示された有意義なデータについて説明することが多い。その際には、どの図や表の話をしているのかを特定し、その内容を明示したうえで、特に関連の深いデータや重要なデータを指摘しつつ詳述することになる。図や表については、すべて番号をふり、タイトルをつけておこう。

結果についての綿密な論考は、「考察」のセクションで行うのが原則だ。とはいえ、研究論文では、著者が結果を示しながら結果について長々と説明することもあるし、「結果および考察」という見出しで「結果」と「考察」のセクションを合体させることも珍しくない。

目的・研究上の問い・方法について説明する

The first set of questions aimed to ...	最初の一連の質問では、…をめざした。
The purpose of Experiment 3 was to ...	実験3の目的は、…を行うことだった。
Simple statistical analysis was used to ...	…を行うために、単純な統計分析を用いた。
The next question asked the informants ...	次の質問では、情報提供者に…を尋ねた。
To assess X, the Y questionnaire was used.	Xについて評価するために、Y質問用紙を使用した。
Changes in X and Y were compared using ...	XとYの変化を、…を用いて比較した。
Regression analysis was used to predict the ...	回帰分析を使用して、…を予測した。
To distinguish between these two possibilities, ...	これら2つの可能性を区別するために、…
The first set of analyses examined the impact of ...	最初の一連の分析では、…の効果を調べた。
The correlation between X and Y was tested using ...	XY間の相関を、…を用いて調べた。
T-tests were used to analyze the relationship between ...	*t*検定を使用して、…間の関係性を分析した。
The average scores of X and Y were compared in order to ...	…のために、XとYの平均スコアを比較した。

In order to assess Z, repeated-measures ANOVAs were used.	Zを評価するために、反復測定分散分析を使用した。
Nine items on the questionnaire measured the extent to which ...	質問用紙に記載された9項目によって、どこまで…であるかを測定した。
To compare the scores three weeks after initial screening, a global ANOVA F-test was used.	最初のスクリーニングから3週間経過後の得点を比較するために、グローバルな分散分析のF検定を使用した。
The Pearson product moment correlation coefficient was used to determine the relationship between ...	ピアソンの積率相関係数を使用して、…間の関係を判定した。

図表のデータを説明する

Table 1 表1は、 Figure 1 図1は、	shows displays presents provides compares	an overview of ... …の全体像を〔示す／比較する〕。 the experimental data on X. Xについての実験データ～ the summary statistics for ... …についての要約統計量～ the breakdown of X according to ... …によるXの内訳～ the median and range of scores for each group. 各グループの得点の中央値と範囲～ the intercorrelations among the nine measures of X. Xの測定値9個の相関関係～ the results obtained from the preliminary analysis of X. Xについての予備的な分析で得られた結果～

As shown in Figure 1, 図1からわかるように、 Looking at Figure 3, it is apparent that 図3～ As can be seen from the table (above), 表（上記の表）～ From the graph above we can see that 上記グラフ～ It can be seen from the data in Table 1 that 表1のデータ～	the X group reported significantly more Y than the other two groups. Xグループについては、他の2グループよりYが有意に多いことが報告された。

The table below 下表は、 The pie chart above 上記円グラフは、 The top half of the table 表の上半分は、 The bottom half of the table 表の下半分は、	illustrates shows	the proportion of different categories of ...
	…の各カテゴリーが占める割合を示す。	

The results of the correlational analysis 相関分析の結果を、 The themes identified in these responses これらの応答で特定されたテーマを、 The results obtained from the preliminary analysis of X Xについての予備分析で得られた結果を、	are shown　〔表／図〕1に示す。 are set out　～に説明してある。 are displayed　～に示す。 are presented　～に示す。 are summarized　～にまとめてある。 can be seen　～に示してある。 can be compared　～で比較できるようにしてある。	in Table 1. in Figure 1.

図表の重要データを強調する

What stands out in the table is ...	この表で目立つのは、…である。
Closer inspection of the table shows ...	表をよく検討すると、…がわかる。
It is apparent from this table that very few ...	この表からは、…が極めて少ないことがわかる。
The most interesting aspect of this graph is ...	このグラフで特に興味深いのは、…
In Fig.10 there is a clear trend of decreasing ...	図10からは、…が減少傾向にあることが明らかだ。
What is striking about the figures in this table is ...	表中の数字で顕著なのは、…
What is interesting about the data in this table is that ...	表のデータで興味深いのは、…であることだ。
The differences between X and Y are highlighted in Table 4.	表4では、XY間の差を強調している。
From the chart, it can be seen that by far the greatest demand is for ...	図からは、…の需要が群を抜いて高いことがわかる。
From this data, we can see that Study 2 resulted in the lowest value of ...	このデータからは、研究2が、…の値について最低であったことがわかる。
This table is quite revealing in several ways. First, unlike the other tables ...	この表はいくつかの点でとても参考になる。まず、他の表とは異なり…
From the data in Figure 9, it is apparent that the length of time left between ...	図9のデータから、…間に残された時間は…であることが明らかだ。
Data from this table can be compared with the data in Table 4.6 which shows ...	この表のデータは、…を示す表4.6のデータと比較することができる。
As Table III shows, there is a significant difference ($t = -2.15$, $p = 0.03$) between the two groups.	表IIIからわかるように、2グループ間には有意な差がある（$t = -2.15$, $p = 0.03$）。

<table>
<tr><td>What stands out in this</td><td>table
chart
figure</td><td rowspan="2">is the growth of ...　…の成長である。
is the high rate of ...　…が高率なことである。
is the dominance of ...　…が優勢なことである。
is the wide range of ...　…が広範囲であることである。
is the rapid decrease in ...　…の急速な減少である。
is the general pattern of ...　…の一般的パターンである。
is the difference between ...　…間の差である。</td></tr>
<tr><td colspan="2">この〔表／図〕にはっきり示されているのは、</td></tr>
</table>

ポジティブな結果について述べる

The mean score for X was ...	Xの平均スコアは…であった。
Further analysis showed that ...	さらに解析を進めたところ、…がわかった。
Further statistical tests revealed ...	さらに統計による検定を行ったところ、…がわかった。
A two-way ANOVA revealed that ...	二元配置分散分析によって、…がわかった。
On average, Xs were shown to have ...	平均では、Xが…を持つことが示された。
Strong evidence of X was found when ...	…したところ、Xの強固なエビデンスが見出された。
This result is significant at the $p = 0.05$ level.	この結果は、$p=0.05$の水準で有意である。
The results, as shown in Table 1, indicate that ...	この結果は、表1に示されているように、…を示唆している。
A positive correlation was found between X and Y.	XY間には、正の相関が見られた。
There was a significant positive correlation between ...	…間には、有意な正の相関があった。
The difference between the X and Y groups was significant.	X群とY群の差は有意だった。
There was a significant difference in X, $t(11) = 2.906$, $p<0.01$.	Xには有意な差があり、$t(11)=2.906$、$p<0.01$であった。
There was a significant difference between the two conditions ...	2つの状態には有意な差があった…
Respondents who reported low levels of X also reported significantly lower levels of Y.	Xが低レベルだったと報告した回答者は、Yについても有意に低レベルの値を報告した。

ネガティブな結果について述べる

No increase in X was detected.	Xの増加は検出されなかった。
No difference greater than X was observed.	Xより大きな差は観察されなかった。
No significant differences were found between ...	…間に有意差は見出されなかった。
None of these differences were statistically significant.	これらの差に統計的に有意なものはなかった。
No significant difference between the two groups was evident.	2群間に明らかな有意差は見られなかった。
No significant reduction in X was found compared with placebo.	プラセボと比較して、Xの有意な減少は見られなかった。
No evidence was found for non-linear associations between X and Y.	XY間の非線形関係について、根拠は見出されなかった。
No significant correlation was found between X scores and the Y scores ($p = 0.274$).	XのスコアとYのスコアの間に、有意な相関は見出せなかった（p=0.274）。
Only trace amounts of X were detected in ...	…では痕跡量のXのみが検出された。
There was no evidence that X has an influence on ...	Xが…に影響するという根拠はなかった。
The Chi-square test did not show any significant differences between ...	カイ二乗検定では、…間に有意な差は見られなかった。
Overall, X did not affect males and females differently in these measures.	全体として、Xは、こうした測定ではオスとメスに異なるかたちで影響することはなかった。
A clear benefit of X in the prevention of Y could not be identified in this analysis.	Yを予防するうえでのXの明瞭なメリットは、この解析では特定できなかった。
T-tests found no significant differences in mean scores on the X and Y subscales.	*t*検定では、XサブスケールとYサブスケールの平均スコアに有意差は見られなかった。

There was no	increase of X associated with ...	…にともなうXの増加はなかった。
	significant difference between ...	…間に有意差はなかった。
	evidence that X has an influence on ...	Xが…に影響を及ぼすという根拠はなかった。
	observed difference in the number of ...	…の数に差は観察されなかった。

No statistically significant 統計的に有意な	difference 差は、 correlation 相関は、	between the means was found. 平均間に見出されなかった。 between the two groups was evident. 二群間で明らかではなかった。 was observed between X and Y groups. X群とY群の間では観察されなかった。 was found between X score and the Y scores. XスコアとYスコアの間では見出されなかった。 between the mean scores of these groups was evident. これらの群の平均スコア間で明らかではなかった。

生じた反応について報告する

Stimulation of X cells with Y did not increase the ...	X細胞をYで刺激しても、…が上昇することはなかった。
With successive increases in intensity of the X, the Y moved further to ...	Xの強度がひきつづき上昇するのにともない、Yは…に向かってさらに移動した。
Following the addition of X, a significant increase (p<0.05) in the Y was recorded.	Xの添加後、Yの有意な増加(p<0.05)が記録された。
When X cells were stimulated with Y, no significant difference in the number of Z was detected.	X細胞をYで刺激しても、Zの数に有意差は検出されなかった。

有意な結果・興味深い結果・意外な結果を強調する

Interestingly, the X was observed to ...	興味深いことに、Xは…することが観察された。
This result is somewhat counterintuitive.	この結果は、直感にやや反するものである。
Interestingly, this correlation is related to ...	興味深いことに、この相関は…と関係している。
The more surprising correlation is with the ...	さらに意外だったのは、…との相関のほうだ。
Surprisingly, only a minority of respondents ...	意外にも、少数の回答者のみが…
The most surprising aspect of the data is in the ...	データの特に意外な側面は、…である。
The correlation between X and Y is interesting because ...	XとYの相関は、…という理由で興味深い。
The most striking result to emerge from the data is that ...	データから浮かび上がってくる結果として特に印象的なのは、…である。
Interestingly, there were also differences in the ratios of ...	興味深いことに、…の比にも差があった。

The single most striking observation to emerge from the data comparison was ...	データを比較することで見えてきた驚くべき結果としては、…が抜きんでていた。

This is a/an (rather) これは（むしろ）	surprising　意外な significant　有意な interesting　興味深い remarkable　めざましい unexpected　予想外の disappointing　残念な	result.　結果だ。 outcome.　帰結だ。

One A further An important	issue theme factor problem concept category	that emerged	from the data was ... from the interviews was ... during the pilot interviews was ... at the initial stages of the analytic process was ...
［データから／インタビューから／パイロットインタビューの間に／分析プロセスの最初のステージで］浮上した［ある／さらなる／重要な］［問題／テーマ／要因／問題／概念／カテゴリー］は、…であった。			

調査とインタビュー（回答率を報告する）

The overall response to the survey was poor.	調査の全体としての回答率は低かった。
Thirty-two individuals returned the questionnaires.	32名が質問票を提出した。
The response rate was 60% at six months and 56% at 12 months.	回答率は6ヶ月の時点で60%、12ヶ月の時点で56%だった。
Of the study population, 90 subjects completed and returned the questionnaire.	調査対象者のうち、90名が質問票に完答して返送してきた。
Of 150 patients who were sent invitations, 81 returned the reply slip, of whom 60 agreed to ...	案内を送った患者150名のうち、81名が返信票を返送してきて、そのうち60名が…に同意していた。
By the end of the survey period, data had been collected from 64 individuals, 23 of whom were ...	調査期間終了までに、64名からデータが回収され、そのうち23名が…
There were 53 responses to the question: '...?'	「…ですか?」という質問に対して53の回答があった。
Respondents were asked to indicate whether ...	回答者は、…かどうかを示すよう求められた。
The total number of responses for this question was ...	この質問に対する総回答数は…だった。

The overall response to this question was very positive.	この質問に対する回答は、総じてとてもポジティブだった。
Respondents were asked to suggest other reasons for ...	回答者は、…について別の理由を示すよう求められた。
In response to the question: '...?', a range of responses was elicited.	「…ですか?」という質問に対して、さまざまな回答が寄せられた。
This section of the questionnaire required respondents to give information on ...	質問票のこの部分では、回答者は…についての情報を提供する必要があった。

調査とインタビュー（各種の割合を報告する）

Over half of those surveyed reported that ...	調査対象の半数超が、…であると報告した。
A minority of participants (17%) indicated that ...	参加者の一部(17%)が、…であると示唆した。
70% of those who were interviewed indicated that ...	インタビューを受けたうちの70%が、…であることを示唆した。
Almost two-thirds of the participants (64%) said that ...	参加者の2/3近く(64%)が、…であると述べた。
The majority of those who responded to this item felt that ...	この項目に回答した人の過半が、…であると感じていた。
When asked whether ..., 90% of the respondents reported that ...	…かどうかという問いに対しては、回答者の90%が、…であると答えた。
Just over half of those who answered this question reported that ...	この質問に答えた人の半数強が、…であると報告した。
In response to Question 1, most of those surveyed indicated that ...	問1に対して、調査対象者の大半が、…であることを示唆した。
When the participants were asked ..., the majority commented that ...	参加者に…について尋ねたところ、過半の人が、…であるとコメントした。
Of the 148 patients who completed the questionnaire, just over half indicated that ...	質問票に最後まで答えた患者148名のうち、半数強が、…であると述べていた。

調査とインタビュー（参加者の見解を報告する）

It was suggested that ...	…ということが示唆された。
One interviewee argued that ...	インタビューを受けたひとりは…であると論じた。

There were some suggestions that ...	…という示唆も、いくつかあった。
In all cases, the informants reported that ...	全事例で、情報提供者は、…であると報告していた。
In their accounts of the events surrounding ...	…をとりまく事象をめぐる彼らの記述で、…
There were some negative comments about ...	…についてのネガティブなコメントもいくつかあった。
The participants on the whole demonstrated ...	参加者は、総体として、…であることを示していた。
Some felt that ..., while others considered that ...	…と考える人たちがいる一方で、…と感じる人たちもいた。
Some interviewees argued that ..., while others ...	インタビューを受けた人たちには、…と論じる人たちがいる一方で、…と論じる人たちもいた。
This view was echoed by another informant who ...	この見解については、…である別の情報提供者も同様だった。
While a minority mentioned that ..., all agreed that ...	少数意見として…はあったが、全員が…で一致していた。
Only a small number of respondents indicated that ...	少数の回答者のみが、…を示唆していた。
A small number of those interviewed suggested that ...	インタビューしたうちの少数が、…について示唆していた。
For a small number of participants X was the reason for ...	少数の参加者にとっては、Xが…の理由だった。
The majority of participants agreed with the statement that ...	参加者の過半が、…という意見に同意した。
When asked about X, the participants were unanimous in the view that ...	Xについて問われると、参加者は、…という見解で全員一致していた。

One ある Some 何人かの A few 何人かの A number of 何人かの The majority of 過半の	informant(s) 情報提供者は、 participant(s) 参加者は、 interviewee(s) インタビュー相手は、	felt that ... …と感じた。 said that ... …と語った。 stated that ... …と述べた。 argued that ... …と論じた。 reported that ... …と報告した。 indicated that ... …と示唆した。 proposed that ... …と提案した。 remarked that ... …と述べた。 suggested that ... …と示唆した。 commented that ... …とコメントした。 referred to ... …に言及した。 emphasized ... …を強調した。 attributed X to ... Xを…のせいだとした。 explicitly referred to ... …に明示的に言及した。 questioned whether ... …かどうかと問うた。

A small number of 少数の The overwhelming majority of 圧倒的多数の		expressed a desire for ... …への希求を表明した。 were reluctant to discuss ... …について議論したがらなかった。 offered an explanation for ... …についての説明を述べた。 expressed concerns about ... …についての懸念を表明した。 were particularly critical of ... …に対して特に批判的だった。 agreed with the statement that ... …という記述に同意した。 welcomed the opportunity to focus on ... …に集中する機会を歓迎した。

調査とインタビュー（回答を一部紹介する）

As one interviewee said: '...'	インタビューを受けたひとりが「…」と答えたように、
As one interviewee put it: '...'	インタビューを受けたひとりが「…」と語ったように、
One informant reported that ...	ある情報提供者は、…であると報告した。
The comment below illustrates ...	以下のコメントからわかるように、…
One participant commented: '...'	ある参加者は、「…」とコメントした。
For example, one interviewee said: '...'	たとえば、インタビューを受けたひとりは「…」と述べた。
In one case, the participant thought that ...	ある事例では、参加者は、…と考えていた。
Another interviewee, when asked ..., said: '...'	インタビューを受けた別のひとりは、…と問われて「…」と答えた。
Other responses to this question included: '...'	この質問に対する別の答えとしては、「…」があった。
Another interviewee alluded to the notion of ...	インタビューを受けた別のひとりは、…という考えに言及した。
Talking about this issue an interviewee said: '...'	インタビューを受けたひとりは、この問題について語りつつ、「…」と述べた。
Commenting on X, one of the interviewees said ...	インタビューを受けたひとりは、Xにコメントしつつ、…と述べた。
One individual stated that '...' And another commented '...'	ある人は「…」と述べ、別の人は「…」とコメントした。

定性的データで浮上した重要な事柄について述べる

Another reported problem was ...	報告されたもうひとつの問題は、…であった。
Opinions differed as to whether ...	…かどうかをめぐって、意見が分かれた。
Concerns were expressed about ...	…をめぐって、懸念が表明された。
A number of issues were identified ...	問題がいくつも特定され、…
A variety of perspectives were expressed ...	各種の展望が表明され、…
These views surfaced mainly in relation to ...	こうした見解は、主に…との関連で浮上した。
Concerns regarding X were more widespread.	Xに関する懸念のほうが広がっていた。
There was a sense of X among interviewees.	インタビューを受けた人たちには、Xという感覚が見られた。
Five broad themes emerged from the analysis.	分析から、5つの幅広いテーマが浮上した。
A common view among interviewees was that ...	インタビューを受けた人たちに共通の見解は、…というものだった。
One concern expressed regarding X was whether ...	Xについて表明された懸念のひとつは、…かどうかというものだった。
This theme came up for example in discussions of ...	このテーマは、たとえば、…についての議論で出てきた。
The themes of X and Y recurred throughout the dataset.	XとYというテーマは、データセット全体を通して何度も出てきた。
Two divergent and often conflicting discourses emerged ...	相矛盾する場合も多い2つの別の言説が現れ、…
Two discrete reasons emerged from this. First ... Second ...	このことから、別個の理由2つが浮かび上がった。まず、…。次に、…
Issues related to X were not particularly prominent in the interview data.	X関連の諸問題は、インタビューのデータで、特に目立つというわけではなかった。
A recurrent theme in the interviews was a sense among interviewees that ...	インタビューで繰り返し出てきたテーマは、インタビューを受けた人たちに見られる…というような感覚だった。

次の話題に移る

If we now turn to ...	次に、…について述べると、
A comparison of the two results reveals ...	双方の結果を比較すると、…がわかる。
Turning now to the experimental evidence on ...	ここで、…についての実験によるエビデンスについて述べると、
Comparing the two results, it can be seen that ...	双方の結果を比較すると、…がわかる。
The next section of the survey was concerned with ...	調査の次のセクションは、…に関するものだった。
In the final part of the survey, respondents were asked ...	調査の最終部分で、回答者は…と尋ねられた。

次の話題に移る前にまとめる

These results suggest that ...	これらの結果は、…を示唆している。
Overall, these results indicate that ...	全体として、これらの結果は…を示している。
In summary, these results show that ...	まとめると、これらの結果から…がわかる。
In summary, for the informants in this study, ...	まとめると、この研究の情報提供者については、…
Together these results provide important insights into ...	全体として、これらの結果から、…についての重要な見通しが得られる。
Taken together, these results suggest that there is an association between ...	まとめると、これらの結果は、…間に関連があることを示唆している。
The results in this chapter indicate that ...	本章の結果は、…を示している。
The next chapter, therefore, moves on to discuss the ...	したがって、次章では、…について論じることになる。

第5章 得られた知見の考察に用いる表現

「考察（Discussion）」という用語には、英語では各種の意味がある。とはいえ、学術的文章で「考察」といえば、以下の2つ、つまり（イ）結論を出す前に、扱った問題や問いが持つさまざまな側面について熟考する作業と、（ロ）出した結果やそれが持つ意味について考える作業の2つを指すのが通例だ。

学位論文や研究論文の「考察」セクションは、含まれる要素の多さという点で、論文中でも一番複雑な部分かもしれない。

「考察」のセクションは、通常、「結果についての説明」や「重要な知見」を中心にして書かれる。しかし、結果というのは複数あることが多いため、一連の考察作業が繰り返されることも多い。

以下に、考察で頻出する事項や、使用されることの多い表現を示す。

なお、考察において特定の解釈を提示したり、含意を示唆したりするときは、断定を避けた慎重な表現を用いるのが通例だ。（「慎重を期す際の表現」p.152も参照）

背景となる情報（文献や研究の目的／問いに言及する）

Several reports have shown that ...	いくつかの報告によって、…が示されている。
As mentioned in the literature review, ...	文献レビューで言及したように、…
The third question in this research was ...	この研究での3つ目の問いは、…
Prior studies that have noted the importance of ...	…の重要性に着目した先行研究としては、…
An initial objective of the project was to identify ...	プロジェクトの当初の目的は、…を特定することだった。
The first question in this study sought to determine ...	この研究の第一の問いは、…について判断することだった。
It was hypothesized that participants with a history of ...	…の経歴のある参加者は…であるという仮説を立てた。
Very little was found in the literature on the question of ...	…という問いについては、文献ではほとんど扱われていなかった。
The present study was designed to determine the effect of ...	この研究は、…の効果を判定するために設計された。
With respect to the first research question, it was found that ...	研究上の第一の問いに関しては、…が見出された。
This study set out with the aim of assessing the importance of X in ...	この研究には、…でのXの重要性について評価するという目的で着手した。
Previous studies evaluating X observed inconsistent results on whether ...	Xについて評価した先行研究では、…かどうかについて一貫性を欠いた結果が観察されていた。

A strong relationship between X and Y has been reported in the literature.	文献には、XY間の強固な関係性が報告されている。
In reviewing the literature, no data were found on the association between X and Y.	文献をレビューしたが、XY間の関連について扱ったデータは見つからなかった。

結果を記載する（通常は結果のセクションに言及）

One interesting finding is ...	興味深い知見として、…がある。
The current study found that ...	今回の研究では、…を見出した。
Another important finding was that ...	もうひとつの重要な知見として、…があった。
In this study, Xs were found to cause ...	この研究では、Xが…を生じることがわかった。
The most interesting finding was that ...	特に興味深い知見は、…というものだった。
The results of this study show/indicate that ...	この研究の結果は、…ということを示している。
On the question of X, this study found that ...	Xの問題については、この研究で、…ということが見出された。
This experiment did not detect any evidence for ...	この実験では、…についてのエビデンスは見つからなかった。
The most obvious finding to emerge from the analysis is that ...	分析から見えてきた最も明瞭な知見は、…である。

(Perhaps) the most （おそらく）特に	striking　めざましい important　重要な disturbing　困った significant　有意な interesting　興味深い compelling　注目に値する unexpected　予想外の clinically relevant　臨床的に関連性の高い	finding is ... 知見は…だろう。

予想外の結果に言及する

What is surprising is that ...	意外なのは、…であることだ。
Surprisingly, X was found to ...	意外にも、Xは…であることがわかった。
One unanticipated finding was that ...	予想外の知見のひとつは、…というものだった。
What is curious about this result is that ...	この結果で奇妙なのは、…である。

Surprisingly, no differences were found in ...	意外にも、…には差が見つからなかった。
This finding was unexpected and suggests that ...	この知見は予想外のもので、…であることを示している。
One unexpected finding was the extent to which ...	意外な知見のひとつは、…の度合いだった。
It is somewhat surprising that no X was noted in this condition ...	この条件でXが見られなかったというのは、やや意外であり、…
The weak association of X with Y is interesting, but not surprising.	XがYとの関連が弱いことは興味深いが、意外というわけでもない。
One surprising variable that was found to be significantly associated with X was ...	Xとの有意な関連性が見出された意外な変数のひとつは、…だった。
These findings are somewhat surprising given the fact that other research shows ...	他の研究で…が示されていることからすると、これらの知見はやや意外だ。
Contrary to expectations, this study did not find a significant difference between ...	予想とはうらはらに、この研究では、…間に有意差は見られなかった。
However, the observed difference between X and Y in this study was not significant.	しかし、この研究でXY間に観察された差は、有意ではなかった。
However, the ANOVA (one way) showed that these results were not statistically significant.	しかし、分散分析(一元配置)では、これらの結果が統計学的に有意とはいえないことが示された。
It was surprising that the X group scores did not differ significantly from those of the Y group.	XグループのスコアがYグループのスコアと有意に異なっているわけではないというのは、意外だった。

先行研究に言及する(得られた結果と一致する場合)

This study confirms that X is associated with ...	この研究は、Xが…と関連していることを確認するものだ。
This finding is consistent with that of Smith (2000) who ...	この知見は、…を行ったSmith(2000)の知見と一致している。
Comparison of the findings with those of other studies confirms ...	得られた知見を他の研究の知見と比較したところ、…が確認された。
This also accords with our earlier observations, which showed that ...	この点は、…であることを示した我々の以前の観察結果とも一致している。
These results reflect those of Smith *et al.* (1992) who also found that ...	これらの結果は、同じく…を見出したSmithら(1992)の結果を反映している。
Increased activation in the X in this study corroborates these earlier findings.	Xでの活性化がこの研究において増大したことは、これらの先行知見を裏づけるものだ。
This finding broadly supports the work of other studies in this area linking X with Y.	この知見は、XをYと結びつけるものであり、この領域の他の研究で実施されてきた作業を総じて裏づけるものだ。

In accordance with the present results, previous studies have demonstrated that ...	この結果同様、先行研究は…を実証していた。
It is encouraging to compare this figure with that found by Jones (1993) who found that ...	この数字と、…であることを見出したJones（1993）が見出した数字とを比較する作業は有望だ。
Consistent with the literature, this research found that participants who reported using X also ...	文献同様、この研究では、Xの使用を申告した参加者は…でもあったことが判明した。
This study supports evidence from clinical observations (e.g. Smith, 1997; Jones *et al.*, 1994) that ...	この研究は、臨床での観察（たとえばSmith, 1997; Jonesら, 1994）によって得られた…であるようなエビデンスを裏づけるものだ。
This study produced results which corroborate the findings of a great deal of the previous work in ...	この研究では、…における多くの先行研究での知見を裏づけるような結果が得られた。
There are similarities between the attitudes expressed by X in this study and those described by Smith (1987, 1995).	この研究でXによって表明された態度と、Smith（1987, 1995）が記載している態度との間には、類似点がある。

These results これらの結果は、	further support the idea of ... …という考えをさらに裏づけるものだ。 confirm the association between ... …間の関連を確認するものだ。 are consistent with data obtained in ... …で得られたデータと一致している。 match those observed in earlier studies. 以前の研究で観察された結果と合致している。 are in line with those of previous studies. 先行研究の結果に沿ったものである。 are in agreement with those obtained by ... …によって得られた結果と一致している。 are in accord with recent studies indicating that ... …を示唆する最近の研究と一致している。 agree with the findings of other studies, in which ... …であるような他の研究で得られた知見と一致している。 seem to be consistent with other research which found ... …を見出した他の研究と一致するようだ。 mirror those of the previous studies that have examined ... …について調べた先行研究の結果を反映している。 are consistent with those of Smith and Jones (2015) who ... …を行ったSmithとJonesの結果（2015）と一致している。 are in keeping with previous observational studies, which ... …である観察的な先行研究と一致している。 are in agreement with Smith's (1999) findings which showed ... …を示したSmithの知見（1999）と一致している。 support previous research into this brain area which links X and Y. XとYを関連づける脳のこの領域についての先行研究を裏づけている。 corroborate the ideas of Smith and Jones (2008), who suggested that ... …を示したSmithとJonesの発想（2008）を裏づけている。

先行研究に言及する（得られた結果と矛盾する場合）

This study has been unable to demonstrate that ...	この研究は、…ということを示せなかった。
However, this result has not previously been described.	しかし、この結果は、これまでのところ記載されていない。
This outcome is contrary to that of Smith *et al.* (2001) who found ...	この結果は、…を見出したSmithら（2001）の結果とは反対だ。
This finding is contrary to previous studies which have suggested that ...	この知見は、…を示唆してきたこれまでの研究とは反対である。
In contrast to earlier findings, however, no evidence of X was detected.	しかし、これまでの知見とは異なり、Xのエビデンスは見つからなかった。
The yields in this investigation were higher compared to those of other studies.	この研究で得られた収率は、他の研究で得られた収率より高かった。
However, the findings of the current study do not support the previous research.	しかし、この研究の知見は、先行研究を支持するものではない。
Smith *et al.* (1999) showed that .... This differs from the findings presented here ...	Smithら（1999）は、…であることを示した。これは、この研究で提示する知見とは異なっており、…
The overall level was found to be 15%, lower than that of previously reported levels.	全体の水準は15%であり、これは従来報告されてきた水準より低い。
It has been suggested that ... (Smith *et al.*, 2002). This does not appear to be the case.	…であることが示唆されているが（Smithら, 2002）、これは真相ではないようだ。
The levels observed in this investigation are far below those observed by Smith *et al.* (2007).	この研究で観察された水準は、Smithら（2007）によって観察された水準よりはるかに低い。
These results differ from X's 2003 estimate of Y, but they are broadly consistent with earlier ...	これらの結果は、XによるYについての2003年の推定とは異なるが、それ以前の…とはおおむね一致している。
Although these results differ from some published studies (Smith, 1992; Jones, 1996), they are consistent with those of ...	これらの結果は、公表されている研究のいくつか（Smith, 1992; Jones, 1996）とは異なるが、…の結果とは一致している。

得られた結果を説明する

A possible explanation for this might be that ...	このことの説明として可能なのは、…というものだろう。
Another possible explanation for this is that ...	このことに関する別の可能な説明は、…というものだろう。

This result may be explained by the fact that ...	この結果は、…という事実によって説明することができる(かもしれない)。
There are, however, other possible explanations.	しかし、もっと別の説明も可能だ。
These relationships may partly be explained by ...	こうした関係性は、部分的には…によって説明できる(かもしれない)。
There are several possible explanations for this result.	この結果については、可能な説明がいくつかある。
Several factors could explain this observation. Firstly, ...	この観察結果は、いくつかの要因によって説明がつく。まず、…
A possible explanation for these results may be the lack of adequate ...	これらの結果については、適当な…がなかったからという説明も可能だ。
These differences can be explained in part by the proximity of X and Y.	これらの違いは、部分的には、XとYが近接していることで説明できる。
These factors may explain the relatively good correlation between X and Y.	これらの要因によって、XY間の相関が比較的高いことの説明がつくかもしれない。
This inconsistency may be due to ...	この不一致は、…のせいかもしれない。
These results are likely to be related to ...	これらの結果は、…と関係しているようだ。
This discrepancy could be attributed to ...	この不一致は…のせいかもしれない。
It seems possible that these results are due to ...	これらの結果は、…のせいである可能性もあるようだ。
This rather contradictory result may be due to ...	こうしたかなり矛盾のある結果が得られたのは、…のせいかもしれない。
The observed increase in X could be attributed to ...	観察されたXの上昇は、…のせいである可能性がある。
It is difficult to explain this result, but it might be related to ...	この結果を説明するのは難しいが、…と関係している可能性がある。
This finding could have been generated by misclassification bias since ...	…であるので、この知見は、誤分類バイアスによって生じた可能性がある。
Another possible alternative explanation of our findings is that they are due to ...	我々が得た知見についての説明としてもうひとつ可能なのは、それらの知見が…ゆえというものだ。
The possible interference of X cannot be ruled out.	Xの干渉があった可能性を除外できない。
It may be that these participants benefited from ...	これらの参加者が…から利益を得ていた可能性もある。
Differences between X and Y may have influenced ...	XY間の違いが…に影響したのかもしれない。
These possible sources of error could have affected ...	エラーの原因かもしれないこれらの要因が、…に影響した可能性がある。
There are two likely causes for the differences between ...	…間の違いについては、原因らしき事柄が2つある。

This result may reflect differences in the size, quality and ...	この結果は、サイズや質や…の差を反映している可能性がある。
The reason for this is not clear but it may have something to do with ...	このことの理由は明瞭ではないが、…と何か関係がある可能性はある。
The observed correlation between X and Y might be explained in this way: ...	XY間に観察された相関は、このかたち、すなわち…というかたちで説明できるかもしれない。
Since this difference has not been found elsewhere it is probably not due to ...	この違いは他では見られないので、…のせいではない可能性が高い。
These conflicting experimental results could be associated with the nature of the ...	これらの相矛盾する実験結果は、…の性質と関連している可能性がある。
It is possible that these unmeasured variables could account for some aspects of the results.	これらの未測定変数が、結果のいくつかの側面について原因となっている可能性がある。

This (rather) この（どちらかといえば）	intriguing 興味深い interesting 興味深い surprising 意外な unexpected 予想外の disappointing 残念な	result 結果は、 finding 知見は、	could be due to ... …が原因の可能性がある。 may be related to ... …と関連している〜 might be a result of ... …の結果である〜 could be attributed to ... …のせいである〜 can be explained by X Xで説明できる〜 might be explained by the fact that ... …という事実で説明できる〜

慎重な解釈を促す

Another source of uncertainty is ...	不確実性を示唆する材料としては、…もある。
Additional uncertainty arises from ...	…からしても、確実でない可能性がある。
A note of caution is due here since ...	…であるので、ここは注意書きが必要だ。
These findings may be somewhat limited by ...	これらの知見は、…によって多少制約を受けている可能性がある。
The possible interference of X cannot be ruled out.	Xが干渉している可能性は、除外できない。
These findings cannot be extrapolated to all patients.	これらの知見を全患者に外挿することはできない。
These data must be interpreted with caution because ...	…という理由があるので、これらのデータは慎重に解釈すべきだ。

It could be argued that the positive results were due to ...	ポジティブな結果が得られたのは…のせいだという議論も可能だ。
These results therefore need to be interpreted with caution.	したがって、これらの結果は慎重に解釈すべきだ。
In observational studies, there is a potential for bias from ...	観察的な研究では、…ゆえのバイアスがかかる可能性がある。
It is important to bear in mind the possible bias in these responses.	これらの回答にはバイアスがかかっている可能性もあることを念頭に置いておくことが大事だ。
Although exclusion of X did not ..., these results should be interpreted with caution.	Xを排除しても…することはなかったが、これらの結果は慎重に解釈すべきだ。
However, with a small sample size, caution must be applied, as the findings might not be ...	しかし、標本サイズが小さい以上、知見が…ではない可能性もあるわけで、慎重を期すことが必要だ。

It is possible that these results これらの結果は、	are limited to ... …に限定されている可能性がある。 are only valid for ... …についてのみ有効な〜 do not represent the ... …を代表していない〜 have been confounded by ... …のせいで混乱した〜 may have been skewed by ... …のせいでゆがんでいる〜 might be biased because of ... …のせいでバイアスがかかっている〜 could be a statistical anomaly. 統計学的にみれば変則的である〜 were influenced by the lack of ... …の欠如に影響された〜 merely reflect a selection effect. 選択の影響を反映しているだけの〜 may underestimate the role of ... …の役割を過小評価している〜 are not a true representation of ... …を事実どおり表していない〜 underestimate the true prevalence of ... …の実際の流行を過小評価している〜 might not be applicable to other groups ... 他のグループには適用できない可能性があり、… are an artifact of our experimental design. 我々の実験デザインゆえの人為的産物である〜 are biased, given the self-reported nature of ... …が自己報告という性格にかんがみると、バイアスがかかっている〜 will not be reproducible on a wide scale across ... …をまたぐような広いスケールでは再現できない〜 may not be generalizable to a broader range of ... 広い範囲の…に一般化できない〜

得られた知見にコメントする

These findings are rather disappointing.	これらの知見は、むしろ残念だ。
However, these results were not very encouraging.	しかし、これらの結果はあまり有望ではなかった。
The test was successful as it was able to identify students who ...	この検定は、…であるような学生を識別可能だったこともあり、うまくいったといえる。
The present results are significant in at least two major respects.	本結果は、少なくとも2つの主要な点で有意義である。
Unfortunately, these findings are rather difficult to interpret because ...	残念だが、こうした知見は、…という理由で解釈がかなり難しい。

This is a/an これは、 These are これらは、	key 中核的な useful 有用な positive ポジティブな valuable 価値ある troubling 困った surprising 意外な important 重要な significant 意味のある interesting 興味深い reassuring 心強い remarkable 顕著な encouraging 有望な disappointing 残念な	result(s). 結果である。 finding(s). 知見である。

This is a これは、 These are これらは、	rather かなり somewhat やや particularly 特に	useful 有用な troubling 困った surprising 意外な reassuring 心強い remarkable 顕著な encouraging 有望な disappointing 残念な	result(s). 結果である。 finding(s). 知見である。

一般的な仮説を示唆する

These findings suggest that ...	こうした知見からは、…であることが示唆される。
It is possible, therefore, that ...	したがって、…である可能性がある。

It can thus be suggested that ...	したがって、…であることを示唆できる。
In general, therefore, it seems that ...	したがって、総じて…であるようだ。
The findings reported here suggest that ...	ここに報告した知見は、…であることを示唆している。
According to these data, we can infer that ...	こうしたデータによれば、…であると推測することが可能だ。
It is possible/likely/probable therefore that ...	したがって、…である〔可能性がある／ようだ／確率が高い〕。
The present study raises the possibility that ...	この研究は、…という可能性を提起するものだ。
Hence, it could conceivably be hypothesized that ...	それゆえ、…という仮説がたぶん立てられる。
This observation may support the hypothesis that ...	この観察結果は、…という仮説を裏づけている可能性がある。
It may be the case therefore that these variations ...	したがって、これらの変異が…だというのは事実かもしれない。
It is therefore likely that such connections exist between ...	したがって、そうしたつながりが…間に存在していそうだ。
The value of X suggests that a weak link may exist between ...	Xの値は、…間に弱い関連が存在しうることを示唆している。
These results provide further support for the hypothesis that ...	これらの結果は、…という仮説をさらに裏づけるものだ。
Therefore, X could be a major factor, if not the only one, causing ...	したがって、Xは、…を生じる唯一ではないにせよ、主要な要因である可能性がある。
It is possible to hypothesize that these conditions are less likely to occur in ...	こうした状態が…では起こりにくいと仮定することは可能だ。

得られた知見の持つ意味を説明する

It can therefore be assumed that the ...	したがって、…であると仮定できる。
This provides some explanation as to why ...	この点は、ある程度、なぜ…なのかという説明になっている。
An implication of this is the possibility that ...	このことは、…もありうることを意味している。
One of the issues that emerges from these findings is ...	こうした知見から垣間見える問題のひとつに…がある。
These initial results are suggestive of a link between X and Y.	こうした当初の結果が示唆するのは、XY間に関連があるということだ。
Some of the issues emerging from this finding relate specifically to ...	この知見から見えてくる問題のいくつかは、…と具体的にかかわっている。

This combination of findings provides some support for the conceptual premise that ...	知見をこのように組み合わせると、…という概念上の前提がある程度裏づけられる。

These これらの	results 結果 findings 知見	suggest that ... は、…を示唆する。 provide support for ... は、…を裏づける。 support the idea that ... は、…という考えを裏づける。 challenge the notion that ... からは、…という考えが問題になる。 might further indicate that ... は、…ということをさらに示唆しているかもしれない。 may help us to understand ... のおかげで、…ということが理解しやすくなるかもしれない。 may be taken to indicate that ... は、…を示唆していると理解できるかもしれない。 are representative of an emerging trend in ... は、…で現れつつある傾向を表している。 have important implications for developing ... には、…を発展させるうえで重要な意味がある。 may reflect differences in the size, quality and ... は、サイズや質や…の差を反映している可能性がある。 add to a growing body of evidence that suggests ... によって、…を示唆するエビデンスがさらに増える。 draw our attention to the importance of considering ... によって、…について考えることの重要性に目が向くことになる。 raise intriguing questions regarding the nature and extent of ... は、…の性質と範囲をめぐる興味深い問いの数々を提起している。 suggest that the lowering of X may reduce hospital admissions for ... は、Xが下がると…についての入院が減る可能性を示唆している。

These findings これらの知見があれば、	may will might should	help us to help others to 〔我々／他の人々〕も、	shape ... …を形成しやすくなる〔かもしれない／だろう／はずだ〕。 design ... …を設計〜 predict ... …を予測〜 develop ... …を開発〜 prioritize ... …を優先〜 explain why ... なぜ…なのかを説明〜 find new ways of ... …の新たな方法を発見〜 better understand ... …についてもっと理解〜

今後の研究に向けて提案を行う

This is an important issue for future research.	この問題は、今後の研究にとって重要だ。
Research questions that could be asked include ...	とりあげることのできる研究上の問いとしては、…がある。
There are still many unanswered questions about ...	…をめぐってはまだ答えの出ていない問いが多数ある。
Several questions remain unanswered at present.	いくつかの問いは、現在、まだ回答が得られていない。
Despite these promising results, questions remain.	これらの有望な結果にもかかわらず、問題は残ったままだ。
Further work is required to establish the viability of ...	…の実現可能性を確立するには、さらなる研究が必要だ。
Further research should be undertaken to investigate the ...	…を調べるには、さらに研究が必要だ。
There is abundant room for further progress in determining ...	…の決定に関しては、さらなる進展の余地が十分ある。
A further study with more focus on X is therefore suggested.	したがって、焦点をXに絞った研究をさらに行うことが望まれる。
Future studies on the current topic are therefore recommended.	したがって、今後も、このトピックについての研究を行うことが推奨される。
In further research, the use of these data as X could be a means of ...	今後の研究では、こうしたデータをXとして用いることが…の手段となる可能性がある。
To develop a full picture of X additional studies will be needed that ...	Xの全体像を描くには、…であるような研究がさらに必要になるだろう。
In future investigations, it might be possible to use a different X in which ...	今後の研究では、…であるような別のXを使用することもできるかもしれない。
Further studies, which take these variables into account, will need to be undertaken.	こうした変数を考慮した研究をさらに実施することが必要だろう。
However, more research on this topic needs to be undertaken before the association between X and Y is more clearly understood.	しかし、XY間の関連をもっと明瞭なかたちで理解するには、その前に、このトピックについてもっと研究を行う必要がある。

<table>
<tr>
<td>Further
さらなる</td>
<td>work is
作業が、

research is
研究が、

studies are
研究が、

investigations are
調査が、</td>
<td>needed to

required to</td>
<td>identify the ...　…を特定するうえで必要だ。
establish how ...　どのように…かを確定〜
confirm whether ...　…かどうかを確認〜
assess the risks of ...　…のリスクを評価〜
ascertain whether ...　…かどうかを確認〜
determine whether ...　…かどうかを判定〜
examine the effects of ...　…の影響を調査〜
evaluate the impact of ...
…のインパクトを評価〜
address the following questions:
以下の問いに対処〜
explore the mechanisms behind ...
…の背後にあるメカニズムを調査〜
assess the longer term impact of ...
…の長期的インパクトを評価〜
confirm and validate these findings.
これらの知見を確認し検証〜
identify or develop drugs that can ...
…しうる薬剤を特定または開発〜
assess the competing therapies for ...
…の競合療法を評価〜
develop reliable analytical methods for ...
…についての信頼できる分析法を開発〜
shed light on the mechanism underlying ...
…の基礎をなすメカニズムを究明〜
provide greater insight into the effects of ...
…の効果についてさらに洞察〜
gain a better understanding of the possible ...
…として何が可能かについてもっと理解〜
establish the effectiveness of treatment with ...
…を用いた治療の効果を確立〜
better understand the mechanisms underlying ...
…の背景にあるメカニズムについてもっと理解〜</td>
</tr>
</table>

第6章 結論を述べるための表現

「結論（Conclusion）」は、学術的文章では短めのセクションで、通常2つの機能を担っている。

ひとつは、論文のそれ以前の部分をまとめ、要約する「振り返り」と呼べるような機能、もうひとつは、この「振り返り」の内容について、最後にコメントや判断を加える機能だ。この最後のコメント部分で、今後の課題や方向性が示唆されることもある。

学位論文や研究論文では、「結論」はさらに複雑になることも多く、得られた知見の重要性や将来の研究に向けての提案について述べる部分も含まれる。

研究論文によっては、「結論」を「考察」セクションと分けず、これらの2セクションをまとめる場合もある。しかし、学位論文や研究報告の場合は、独立した「結論」セクションが設けられるのが通例だ。

目的を再確認する

This study set out to ...	この研究では、…する作業に着手した。
This paper has argued that ...	この論文では、…であると論じてきた。
This essay has discussed the reasons for ...	この小論では、…の理由について論じてきた。
In this investigation, the aim was to assess ...	この研究では、目的は…を評価することだった。
The aim of the present research was to examine ...	この研究の目的は、…を調べることだった。
The purpose of the current study was to determine ...	この研究の目的は、…について判断することだった。
The main goal of the current study was to determine ...	この研究の主目標は、…について判断することだった。
This project was undertaken to design ... and evaluate ...	このプロジェクトは、…を立案して…を評価するために実施した。
The present study was designed to determine the effect of ...	この研究は、…の効果を判定するために立案した。
The second aim of this study was to investigate the effects of ...	この研究の第二の目的は、…の効果を調べることだった。
Returning to the question posed at the beginning of this study, it is now possible to state that ...	この研究で最初に提示した問いに戻ると、現時点では…だと述べることが可能になっている。

<table>
<tr><td rowspan="21">This study set out to
この研究では、</td><td>predict which ... どれが…かを予測する作業に着手した。</td></tr>
<tr><td>establish whether ... …かどうかを確認する〜</td></tr>
<tr><td>determine whether ... …かどうかを判定する〜</td></tr>
<tr><td>develop a model for ... …のモデルを開発する〜</td></tr>
<tr><td>assess the effects of ... …の効果を評価する〜</td></tr>
<tr><td>investigate impact of ... …のインパクトを調査する〜</td></tr>
<tr><td>better understand the ... …の理解を深める〜</td></tr>
<tr><td>find a new method for ... …するための新たな方法を見出す〜</td></tr>
<tr><td>evaluate how effective ... …がどのように有効かを評価する〜</td></tr>
<tr><td>assess the feasibility of ... …の実行可能性を評価する〜</td></tr>
<tr><td>test the hypothesis that ... …という仮説を検証する〜</td></tr>
<tr><td>explore the influence of ... …の影響を調査する〜</td></tr>
<tr><td>gain a better understanding of ... …の理解を深める〜</td></tr>
<tr><td>objectively measure and assess ... …を客観的に測量し評価する〜</td></tr>
<tr><td>examine the relationship between ... …間の関係を吟味する〜</td></tr>
<tr><td>compare the two ways of treating ... …の処理方法2種を比較する〜</td></tr>
<tr><td>critically examine the ways in which ... …する方法を批判的に吟味する〜</td></tr>
<tr><td>evaluate a new method of measuring ... …を測定する新手法を評価する〜</td></tr>
<tr><td>provide the first systematic account of ...
…をめぐる初の体系的説明を提供する〜</td></tr>
<tr><td>understand the views and experiences of ...
…の見方や経験を理解する〜</td></tr>
<tr><td>review in detail the available information on ...
…について入手可能な情報を精査する〜</td></tr>
</table>

<table>
<tr><td rowspan="8">This study has
この研究では、</td><td rowspan="8">examined</td><td>the role of ... …の役割について調べた。</td></tr>
<tr><td>the impact of ... …のインパクト〜</td></tr>
<tr><td>the nature of ... …の性質〜</td></tr>
<tr><td>the concept of ... …の概念〜</td></tr>
<tr><td>the differences between ... …間の違い〜</td></tr>
<tr><td>the relationship between ... …間の関係〜</td></tr>
<tr><td>the peer reviewed literature on ... …をめぐる査読済み文献〜</td></tr>
<tr><td>the factors which are thought to contribute to ...
…の原因だと思われる要因〜</td></tr>
</table>

得られた知見をまとめる

This study has identified ...	この研究は、…を特定した。
This study has shown that ...	この研究は、…を示した。
The findings clearly indicate that ...	得られた知見は、…を明瞭に示している。
The research has also shown that ...	研究は、…も示した。
The second major finding was that ...	2つ目の主要な知見は…であった。

These experiments confirmed that ...	これらの実験によって、…が確かめられた。
X made no significant difference to ...	Xによって、…に有意な差が生じることはなかった。
This study has found that generally ...	この研究では、総じて…が見出された。
The investigation of X has shown that ...	Xを調べたところ、…が示された。
The results of this investigation show that ...	この調査の結果は、…を示している。
X, Y and Z emerged as reliable predictors of ...	X、Y、Zが、…の信頼できる前兆として浮上した。
Multiple regression analysis revealed that the ...	重回帰分析によって、…が明らかになった。
The most obvious finding to emerge from this study is that ...	この研究で見えてきた特に明瞭な知見は、…というものだ。
The relevance of X is clearly supported by the current findings.	Xの関連性は、今回得られた知見によって明瞭に裏づけられている。
One of the more significant findings to emerge from this study is that ...	この研究で明らかになった特に重要な知見のひとつは、…というものだ。

当該分野にとって研究が持つ意味を示唆する

In general, therefore, it seems that ...	したがって、一般論としては…ということのようだ。
The results of this study indicate that ...	この研究の結果は、…を示している。
These findings suggest that in general ...	これらの知見は、総じて、…であることを示している。
The findings of this study suggest that ...	この研究で得られた知見は、…を示している。
Taken together, these results suggest that ...	全体としては、これらの結果は…ということを示している。
An implication of this is the possibility that ...	このことが意味するのは、…という可能性だ。
The evidence from this study suggests that ...	この研究で得られたエビデンスは、…を示している。
Overall, this study strengthens the idea that ...	全体として、この研究は…という考えを強化するものだ。
The current data highlight the importance of ...	このデータは、…の重要性を強調するものだ。
The findings of this research provide insights for ...	この研究で得られた知見によって、…についての見通しが得られる。
The results of this research support the idea that ...	この研究の結果は、…という考えを裏づけるものだ。
These data suggest that X can be achieved through ...	これらのデータは、Xが…によって達成可能なことを示している。

The theoretical implications of these findings are unclear.	こうした知見が理論的に何を意味しているかは不明瞭だ。
The principal theoretical implication of this study is that ...	この研究が持つ主要な理論的含意は、…ということだ。
This study has raised important questions about the nature of ...	この研究は、…の性質をめぐって重要な問いを提起した。
The following conclusions can be drawn from the present study ...	この研究からは、以下の結論を導きだすことができ、…
Taken together, these findings suggest a role for X in promoting Y.	総合すると、これらの知見は、XがYを促進する際の役割について示している。
The findings of this investigation complement those of earlier studies.	この調査で得られた知見の数々は、これまでの研究での知見を補うものだ。
These findings have significant implications for the understanding of how ...	これらの知見は、どのように…なのかを理解するうえでおおいに意味がある。
Although this study focuses on X, the findings may well have a bearing on ...	この研究はXに焦点をあてたものだが、得られた知見が…と関係している可能性も十分ある。
These findings raised important theoretical issues that have a bearing on the ...	これらの知見は、…と関連のある重要な理論上の問題を提起した。

得られた知見の重要性や研究の意義を述べる

The findings will be of interest to ...	得られた知見は、…にとって意義があるだろう。
This thesis has provided a deeper insight into ...	この学位論文によって、…をめぐる洞察が深まった。
The findings reported here shed new light on ...	ここに報告された知見は、…に新たに光を投げかけるものだ。
The study contributes to our understanding of ...	この研究によって、…についての我々の理解が深まる。
These results add to the rapidly expanding field of ...	これらの結果は、…という急速に拡大しつつある分野に蓄積されることになる。
The contribution of this study has been to confirm ...	この研究は、…を確認するのに貢献した。
Before this study, evidence of X was purely anecdotal.	この研究以前、Xの根拠は伝聞にすぎなかった。
This project is the first comprehensive investigation of ...	このプロジェクトは、…についての初の包括的研究である。
This study provides the first comprehensive assessment of ...	この研究は、…についての最初の包括的評価を提供するものだ。

The insights gained from this study may be of assistance to ...	この研究で得られた知見は、…に役立つ可能性がある。
This study establishes a quantitative framework for detecting ...	この研究は、…を検出するための定量的なフレームワークを確立するものだ。
This work contributes to existing knowledge of X by providing ...	この研究は、…を提供することによってXをめぐる既存の知識を補強するものである。
This is the largest study so far documenting a delayed onset of ...	この研究は、…の遅延発症について記載したこれまででは最大の研究である。
Prior to this study it was difficult to make predictions about how ...	この研究以前は、どのように…かという予測を立てるのは難しかった。
The analysis of X undertaken here, has extended our knowledge of ...	今回実施したXの分析によって、…の知識が広がった。
The empirical findings in this study provide a new understanding of ...	この研究で得られた実証的な知見によって、…についての新たな理解が可能になる。
This study has been one of the first attempts to thoroughly examine ...	この研究は、…について徹底的に調べる最初の試みのひとつであった。
This paper contributes to recent historiographical debates concerning ...	この論文は、…に関する最近の史料編纂をめぐっての論争に資するものである。
This study appears to be the first study to compare the experiences of ...	この研究は、…の経験を比較する最初の研究であるようだ。
The present study adds to the growing body of research that indicates ...	この研究によって、…について示唆する研究がさらに増えることになる。
The present study is the only empirical investigation into the impact of ...	この研究は、…のインパクトについて調べた唯一の実証的な研究である。
This approach will prove useful in expanding our understanding of how ...	このアプローチは、どのように…なのかについて理解を広げるうえで有用なはずだ。
The study has gone some way toward enhancing our understanding of ...	この研究は、…についての我々の理解を深めるうえである程度役立った。
The study has confirmed the findings of Smith *et al.* (2001) which found that ...	この研究では、…であることを見出したSmithら（2001）の知見を確認した。
This new understanding should help to improve predictions of the impact of ...	この新たな理解は、…のインパクトをめぐる予測を改善するうえで役立つはずだ。
This is the first report on X from a nationally representative cohort of patients.	これは、国別の患者コホートから得られた、Xについての最初の報告である。
The methods used for this X may be applied to other Xs elsewhere in the world.	このXに使用した方法は、世界各地の他のXに用いることができるかもしれない。

These findings will be of broad use to the scientific and biomedical communities.	これらの知見は、科学や生物医学系コミュニティにとって広く有用となるはずだ。
The X that we have identified therefore assists in our understanding of the role of ...	したがって、我々が特定したXは、…の役割を理解するうえで役に立つ。
This is the first study of substantial duration which examines associations between ...	この研究は、相当期間にわたって…間の関係を調べた最初の研究である。
The findings from this study make several contributions to the current literature. First, ...	この研究で得られた知見は、現状での文献にいくつかのかたちで貢献することになる。第一に、…
These findings contribute in several ways to our understanding of X and provide a basis for ...	これらの知見によって、Xについての理解がいろいろな意味で深まり、…の基盤が形成される。

These findings これらの知見は、	illustrate how ... どのように…かを例示している。 could be used to help ... …を補助する際に使用できる。 are important because ... …という理由で重要である。 are particularly relevant for ... …と特に関連性が深い。 provide insights into whether ... …かどうかについて見通しを提供するものだ。 enhance our understanding of ... …についての理解を深めるものだ。 provide additional evidence for ... …についてのさらなる根拠となる。 will help other researchers design ... 他の研究者が…を立案するうえで役立つ。 highlight the potential usefulness of ... …が有用である可能性を強調するものだ。 add to a growing body of literature on ... …についての文献がさらに増えることになる。 provide strong empirical confirmation that ... …ということについて実証的にしっかり確認するものだ。 represent a major breakthrough in the way ... …という意味で主要なブレークスルーとなる。 provide important insights into the role of ... …の役割について重要な見通しを提供するものだ。 make several contributions to the current literature. いくつかのかたちで、現在の文献に付け加わることになる。 are relevant to both practitioners and policy-makers. 実務家にも、政策立案者にも関係がある。

This research The present study この研究は、	extends our knowledge of ... …についての知識を広げるものである。 has demonstrated, for the first time, that ... …ということをはじめて示したものである。 will serve as a base for future studies and ... 今後の研究の基盤となり、… should prove to be particularly valuable to ... …にとって特に有益なはずだ。 makes several noteworthy contributions to ... …に対していくつか特筆すべき貢献をしている。 has offered a framework for the exploration of ... …を探究する際の枠組みとなった。 has provided additional evidence with respect to ... …に関してのさらなるエビデンスとなった。 has several practical applications. Firstly, it points to ... 実践的用途がいくつかある。まず、この研究は、…を示す。 has shed a contemporary light on the contentious issue of ... …という議論の多い問題に今日的な意味で光をあてた。 is important in furthering our understanding of the role of ... …の役割についての理解を深めるうえで重要だ。 confirms previous findings and contributes additional evidence that suggests ... これまでの知見を確認し、…を示すさらなるエビデンスとなる。

This is この研究は、	the first study	to identify ...　…を特定する初の研究だ。 to show that ...　…を提示〜 to investigate ...　…を研究〜 to test the effects of ...　…の効果を検証〜 to firmly establish that ...　…であることをきちんと確認〜 to provide evidence for ...　…についてのエビデンスを提示〜 to reveal the presence of ...　…の存在を明示〜 to investigate the effect of ...　…の効果を調査〜 to use objective measures to ...　…のために客観的手法を使用〜 to report an association between ...　…間の関連を報告〜 to integrate modeling approaches intended to ... …するためのモデル化アプローチの数々を統合〜 that has used ...　…を使用した初の研究だ。 that has found ...　…を発見〜 that has revealed ...　…を明示〜 that has measured ...　…を測定〜 that has presented evidence for ... …についてのエビデンスを提示〜 that has investigated the effects of ...　…の効果を調査〜 that has documented the impact of ...　…のインパクトを報告〜 that has evaluated the effectiveness of ... …の有効性を評価〜 that has shown a clear-cut positive effect of ... …のはっきりとしたポジティブな影響を示〜

得られた知見の重要性を条件付きで述べる

Notwithstanding these limitations, the study suggests that ...	こうした制約があるものの、この研究は…であることを示すものだ。
While this study did not confirm X, it did partially substantiate ...	この研究ではXこそ確認されなかったものの、…であることが部分的に立証された。
Despite its exploratory nature, this study offers some insight into ...	この研究には探索的な性格があるものの、…について、ある程度の知見が得られた。
Notwithstanding the relatively limited sample, this work offers valuable insights into ...	標本数がかなり限定されていたにもかかわらず、この研究では…について貴重な見通しが得られた。
Although the current study is based on a small sample of participants, the findings suggest ...	この研究は参加者のサンプル数が少ないものの、得られた知見からは…が示唆される。

当該研究の限界についてコメントする

A limitation of this study is that ...	この研究の限界として、…という点がある。
Being limited to X, this study lacks ...	Xに限定されるため、この研究では…が欠落している。
The major limitation of this study is the ...	この研究の主たる制約は、…にある。
This study was limited by the absence of ...	この研究には、…が欠如しているという限界があった。
One issue with the current study was that ...	この研究が抱える問題のひとつは、…であった。
Thirdly, the study did not evaluate the use of ...	第三に、この研究では…の使用について評価しなかった。
The generalizability of these findings is limited ...	こうした知見をどこまで一般化できるのかについては限界があり、…
The scope of this study was limited in terms of ...	この研究の範囲は、…に関して制約があった。
The study is limited by the lack of information on ...	この研究には、…について情報が欠落しているという限界がある。
The most important limitation lies in the fact that ...	最も重要な制約は、…という事実にある。
A limitation of using this kind of data is that it precludes ...	この種のデータ使用にともなう制約は、…があらかじめ排除されているということだ。
Study limitations make an overall conclusion about X extremely difficult.	研究上の制約があるために、Xをめぐる全体としての結論を出すのが極めて困難になっている。
Finally, a number of important limitations need to be considered. First, ...	最後に、いくつかの重要な制約について考慮しておかねばならない。まず、…

The findings in this report are subject to at least three limitations. First, ...	この報告で得られた知見には、少なくとも3つの制約がある。まず、…
However, these findings are limited by the use of a cross sectional design.	しかし、これらの知見には、横断的なデザインを用いたという制約がある。
The principal limitation of this analysis was the variance in the design of ...	この分析の主たる限界は、…のデザインにおける不一致だった。
This limitation means that study findings need to be interpreted cautiously.	この制約が意味するのは、この研究で得られた知見は慎重な解釈を要するということだ。
A potential source of bias for the study is the influence the researcher had upon ...	この研究をめぐるバイアスの原因としては、研究者が…に対して及ぼした影響というのもあったかもしれない。
With regard to the research methods, some limitations need to be acknowledged.	研究方法に関しては、いくつかの制約があったことを認めておく必要がある。
The generalizability of these results is subject to certain limitations. For instance, ...	これらの結果をどこまで一般化できるかについては、いくつか制約がある。たとえば、…
The present study was subject to a number of potential methodological weaknesses.	この研究には、方法論的弱点となりうる点がいくつかあった。
Several limitations to this pilot study need to be acknowledged. The sample size is ...	このパイロット研究には、いくつかの限界があることを了解しておく必要がある。標本サイズは、…
The project was limited in several ways. First, the project used a convenience sample that ...	このプロジェクトにはいくつかの意味で制約があった。まず、プロジェクトでは、…であるような便宜的標本を用いた。
The lack of X in the sample adds further caution regarding the generalizability of these findings.	標本にXが含まれていない以上、これらの知見を一般化できるかどうかについては、いっそうの慎重さが求められる。

This The current The present この	study research investigation 研究(は/には/では)、	was limited by ... …という制約があった。 has only examined ... …しか調べていない。 has not been able to establish ... …を確立できなかった。 has only considered the context of ... …という文脈しか考慮していない。 has not been able to confirm earlier ... それ以前の…を確認できなかった。 was unable to analyze these variables. こうした変数を解析できなかった。 was not specifically designed to evaluate factors related to ... …の関連要因を評価するよう特別に設計されているわけではなかった。

However, these results may not be applicable to しかし、これらの結果は、	all types of ... …のすべてのタイプにはあてはまらないかもしれない。 all situations. すべての状況〜 other species. 他の種〜 patients who ... …であるような患者〜 all clinical settings. すべての臨床状況〜 organizations which ... …であるような組織〜 other groups within ... …内の他のグループ〜 the wider population. もっと大きな集団〜

Another source of uncertainty はっきりしないことの別の理由としては、	is has been	the role of ... …の役割というのも〔ある／あった〕。 the estimate for ... …についての推定〜 the assumption that ... …という仮定〜 the variation of X over time. Xの経時的変化〜 associated with changes in ... …の変化との関連〜 the possibility of measurement errors in ... …で測定エラーが生じている可能性〜

X makes these findings less generalizable to ...	Xのせいで、これらの知見を…には一般化しにくくなる。
It is unfortunate that the study did not include ...	この研究が…を包含していなかったのは残念だ。
The main weakness of this study was the paucity of ...	この研究の主たる弱点は、…が不足していることだった。
Since the study was limited to X, it was not possible to ...	研究がXに限定されていたため、…することは不可能だった。
An additional uncontrolled factor is the possibility that ...	別の非制御因子として、…という可能性もある。
It was not possible to assess X; therefore, it is unknown if ...	Xを評価できなかったので、…かどうかについてはわからない。
An issue that was not addressed in this study was whether ...	この研究で扱わなかった問題のひとつは、…かどうかという問題だ。
An arguable weakness is the arbitrariness in our definition of ...	議論の余地がある弱点として、…についての我々の定義が恣意的だという点がある。
A number of caveats need to be noted regarding the present study.	この研究に関しては、いくつかの注意点を念頭に置いておく必要がある。
The responses relating to X were subjective and were therefore susceptible to recall bias.	X関連の反応は主観的であるため、想起バイアスを受けやすかった。
The sample was nationally representative of X but would tend to miss people who were ...	サンプルはその国のXを代表するものだったが、…であるような人々を取り逃がしがちだった。
One source of weakness in this study which could have affected the measurements of X was ...	この研究にともなう弱点の一因としてXの測定に影響した可能性があるのは、…

With a small sample size, caution must be applied, as the findings might not be transferable to ...	標本サイズが小さい以上、得られた知見が…にあてはまらない可能性もあるわけで、慎重を期すことが必要だ。
Although the study has successfully demonstrated that ..., it has certain limitations in terms of ...	この研究は…であることを示すのに成功したが、…に関してある程度制約がある。

当該研究の強みについてコメントを加える

A key strength of the present study was the ...	この研究の主要な強みとして、…があった。
The main strength of this study is the exclusion of ...	この研究の主たる強みは、…を除外したことだ。
One strength of this study is the high rate of follow-up, ...	この研究の強みのひとつは、フォローアップが行われる割合が高いことであり、…
The key strengths of this study are its long duration and ...	この研究の主たる強みは、研究が長期にわたって継続されてきたことと…であり、…
The strengths of the study included the in-depth analysis of ...	この研究の強みとしては、…について深く分析したことがある。
Although the findings should be interpreted with caution, this study has several strengths ...	得られた知見については慎重に解釈すべきだが、この研究にはいくつか強みがあり、…
One of the strengths of this study is that it represents a comprehensive examination of the whole ...	この研究の強みのひとつは、この研究が…全体を包括的に調べていることだ。

さらなる研究に向けての推奨事項

The question raised by this study is ...	この研究が提起する問いは、…
More research using controlled trials is needed to ...	…するためには、対照試験を用いた研究が、さらに必要だ。
What is now needed is a cross-national study involving ...	今必要なのは、…を含めた一国にとどまらぬ研究だ。
More broadly, research is also needed to determine ...	もう少し広い目で見ると、…を判断するためにも研究が必要だ。
This research has thrown up many questions in need of further investigation.	この研究は、さらなる研究が必要な多くの問いを提起した。
It would be interesting to assess the effects of ...	…の影響を評価するのもよいだろう。
It is recommended that further research be undertaken in the following areas: ...	さらなる研究を以下の領域で実施することが推奨される。すなわち、…

It would be interesting to compare experiences of individuals within the same ...	同じ…内での個々人の経験を比較するのもよいだろう。
It is suggested that the association of these factors is investigated in future studies.	今後の研究で、これらの要因がどう関連しているのかについて調べるのもよいだろう。
A further study could assess the long-term effects of ...	さらなる研究を行うことで、…の長期的効果を評価できるはずだ。
Further work needs to be done to establish whether ...	…かどうかを確定するには、さらに研究を進めることが必要だ。
Further studies need to be carried out in order to validate ...	…を評価するために、さらなる研究が必要だ。
Further experimental investigations are needed to estimate ...	…を推定するには、実験による研究がさらに必要だ。
Further studies regarding the role of X would be worthwhile/interesting.	Xの役割についてのさらなる研究を実施するのも意義深い／興味深い。
Further investigation and experimentation into X is strongly recommended.	Xについて調査や実験をさらに実施することが強く推奨される。

Further research 研究をさらに	might explore ... 行って、…を調べることができるかもしれない。 could usefully explore how ... 実施すれば、どのように…かを効率的に調べられるはずだ。 should focus on determining ... 行うべきであり、その際には…の判定に傾注すべきだ。 is required to determine whether ... 行って、…かどうかを判定することが必要だ。 in this field would be of great help in ... この分野で実施することは、…においておおいに役立つだろう。 should be carried out to establish the ... 行って、…を確立すべきだ。 should be undertaken to explore how ... 行って、どのように…かを調べるべきだ。 on these questions would be a useful way of ... こうした問いについて実施することは、…する有用な方法となるだろう。 needs to examine more closely the links between X and Y. 行って、その際にはXY間のつながりについてさらに詳しく調べる必要がある。 could also be conducted to determine the effectiveness of ... 行って、…の有効性について判断することも可能だろう。

Further	work is needed to fully understand the implications of ... …が持つ意味を十全に理解するうえでは、さらなる研究が必要だ。 research is required to establish the therapeutic efficiency of ... …の治療効率を確立するには、さらなる研究が必要だ。 modeling work will have to be conducted in order to determine ... …を判別するためには、さらなるモデル化作業が必要だ。 experiments, using a broader range of Xs, could shed more light on ... Xの範囲を広げた実験を行えれば、…がさらに明らかになる可能性がある。 research in other Xs is, therefore, an essential next step in confirming ... したがって、…を確認するうえでは、他のXについてさらに研究することが次に必須のステップとなる。

A future study investigating X would be very interesting.	Xについて探究する今後の研究は、極めて興味深いものになるはずだ。
In terms of directions for future research, further work could ...	今後の研究の方向性については、さらに研究して…ということも可能だろう。
In the future, it will be important to explore the potential use of ...	今後は、…の利用可能性を探ることが重要になるはずだ。
Another possible area of future research would be to investigate why ...	今後の研究領域として、なぜ…なのかを調べるというのもあるはずだ。
A number of possible future studies using the same experimental set up are apparent.	同じ実験設備を使用することで今後実施可能な研究が、明らかにいくつもある。
In terms of future work, it would be interesting to repeat the experiments described here using ...	今後の研究としては、ここで説明した実験の数々を、…を用いて再度実施するというのも興味深い。

Future studies should 今後の研究は、	include ... …を含むものとするべきだ。 focus on ... …に集中するべきだ。 target specific ... 特定の…を対象とするべきだ。 clarify whether ... …かどうかを明瞭にするべきだ。 attempt to identify ... …の特定を試みるべきだ。 assess the impact of ... …のインパクトを評価するべきだ。 explore the effects of ... …の効果を調べるべきだ。 seek to minimize bias by ... …によるバイアスを最小限にとどめるよう努めるべきだ。 investigate the degree to which ... …がどの程度までなのかを調べるべきだ。 concentrate on the investigation of ... …の調査に集中するべきだ。 address the questions raised by this research. この研究で提起された問題に取り組むべきだ。

More research	is required is needed	to account for ... …を説明するには、もっと研究が必要だ。 in order to determine which ... どれが…かを判定するうえでは、〜 to determine the efficacy and safety of ... …の有効性と安全性を判定するためには、〜 to examine the long-term efficacy and safety of ... …の長期的有効性と安全性を調べるうえでは、〜 to better understand when implementation ends and ... いつ実装が終了して…するかについて理解を深めるうえでは、〜 to develop a deeper understanding of the relationships between ... …間の関係について理解を深めるためには、〜

Further さらなる	research is studies are 研究が、	needed required	to better understand	why ... なぜ…なのかについて理解を深めるうえで必要だ。 how ... どのように…なのか〜 the nature of ... …の性質〜 the causes of ... …の原因〜 the impact of ... …のインパクト〜 the reasons for ... …の理由〜 the influence of ... …の影響〜 the extent to which ... どこまで…なのか〜 the role that X plays in ... Xが…で果たす役割〜 how X is associated with ... Xが…とどのようにかかわっているか〜 the risks associated with ... …にともなうリスク〜 the underlying causes of ... …の背景にある原因〜 the possible link between ... …間に存在しうる関連〜 the relationship between ... …間の関係〜 the discrepancies between ... …間の不一致〜 the mechanisms underlying ... …の背景にある作用機序〜 the effectiveness and safety of ... …の有効性と安全性〜 the complex linkages between ... …間の複雑な関係〜 the complex interaction between ... …間の複雑な相互作用〜 the complex association between ... …間の複雑な関連〜

The study should be repeated using ...	この研究は、…を用いて再度実施するべきだ。
This would be a fruitful area for further work.	この領域は、さらなる研究に向けて実り多い領域となるだろう。
Several questions still remain to be answered.	まだ答えが出ずに残っている問いがいくつかある。
A natural progression of this work is to analyze ...	この研究の次なる展開としては、…を分析するのが自然だろう。
Considerably more work will need to be done to determine ...	…を判断するには、相当量の作業をさらに実施する必要があるはずだ。
The precise mechanism of X in insects remains to be elucidated.	昆虫でのXの詳細な作用機序について、解明が待たれる。
These findings provide the following insights for future research: ...	これらの知見からは、今後の研究に向けて以下のような見通しが得られる。すなわち…
Large randomized controlled trials could provide more definitive evidence.	大規模なランダム化比較試験を行えば、さらに明確なエビデンスが得られるはずだ。
A greater focus on X could produce interesting findings that account more for ...	Xにさらに注目することで、…のことがもっとわかる興味深い知見が得られるはずだ。
The issue of X is an intriguing one which could be usefully explored in further research.	Xという課題は、今後の研究で有用なかたちで探究しうる魅力的な課題だ。
If the debate is to be moved forward, a better understanding of X needs to be developed.	この論争を前に進めるのであれば、Xについての理解を深めることが必要だ。
I suggest that before X is introduced, a study similar to this one should be carried out on ...	Xを導入する前に、この研究と似た研究を、…について実施しておく必要があるのではないだろうか。
More information on X would help us to establish a greater degree of accuracy on this matter.	Xについての情報がもっとあれば、我々もこの事象についての精度を向上させやすい。

得られた知見の意味や実践上の推奨事項

Other types of X could include: a), b) ...	他のタイプのXとしては、a)、b)…が挙げられる。
Greater efforts are needed to ensure ...	…を確実にするうえでは、さらに努力が必要だ。
There is, therefore, a definite need for ...	したがって、…が間違いなく必要となる。
A second broad recommendation is that ...	広い意味で次に推奨するのは、…することだ。
Provision of X will enhance Y and reduce Z.	Xを設けることで、Yは強化され、Zは減少するだろう。
Another important practical implication is that ...	実践上重要な意味として、もうひとつ、…ということがある。
Moreover, more X should be made available to ...	加えて、…がもっとXを利用できるようにする必要がある。

The challenge now is to fabricate Xs that contain ...	現時点での課題は、…を含むようなXを作ることだ。
Unless governments adopt X, Y will not be attained.	政府がXを採用しない限り、Yが達成されることはないだろう。
These findings suggest several courses of action for ...	これらの知見は、…に対してのいくつかの対策を示している。
A reasonable approach to tackle this issue could be to ...	この問題に取り組むうえで妥当なアプローチは、…することかもしれない。
This particular research finding also points to the need for ...	研究で得られたこの特定の知見も、…の必要性を示唆している。
Continued efforts are needed to make X more accessible to ...	Xを…がもっと利用しやすくするためには、努力を継続せねばならない。
These findings have implications within the clinical setting for ...	これらの知見は、…のための臨床の場面で意味がある。
The findings of this study have a number of practical implications.	この研究で得られた知見には、実践上の意味がいくつもある。
There are a number of important changes which need to be made.	実施せねばならない重要な変更がいくつもある。
Management to enhance bumble-bee populations might involve ...	マルハナバチの生息数を増やすための管理では、…も必要だろう。
This study suggests that X should be avoided by people who are prone to ...	この研究は、…の傾向がある人々はXを避けるべきだということを示している。
A key policy priority should therefore be to plan for the long-term care of ...	したがって、第一に考えるべき政策は、…の長期的なケアを計画することだ。
This information can be used to develop targeted interventions aimed at ...	この情報は、…を目的とする標的を定めた介入を開発する際に使える。
Taken together, these findings do not support strong recommendations to ...	総合すると、これらの知見は、…を強力に推奨することを支持しているわけではない。
Ensuring appropriate systems, services and support for X should be a priority for ...	Xのために適切なシステムやサービスやサポートを確保することは、…にとって優先度が高い。
The findings of this study have a number of important implications for future practice.	この研究で得られた知見には、今後の実践にとって重要な内容がいくつも含まれている。
An implication of these findings is that both X and Y should be taken into account when ...	これらの知見は、…であるときにはXとYの両方を考慮すべきだということを意味している。

第Ⅱ部

場面別表現集

第7章 批判的態度で臨む際の表現

学術分野の文章を書く以上、用いる情報源には批判的態度で臨むことが求められる。つまり、自分が読んでいるものを疑い、その情報がすでに公表されているというだけで鵜呑みにしたりしないということだ。

批判的態度で臨むというのは、何かを「正しい」あるいは「真実である」と単純に認めないための理由を探しつづけることも意味している。そしてそのために、著者による議論や使用された方法にひそむ問題点を見つけ出したり、場合によっては、そうした問題点に対して加えられた第三者の批判に言及したりすることもあるだろう。

建設的な批判というのは、研究や論文を改善する方向性まで示唆しているものだ。反対するだけでは不十分。建設的に考える習慣をふだんから身につけておこう*。

＊De Bono, E. (2016). *Parallel Thinking*. London: Ebury Publishing (p. 58).

批判的部分を書きはじめる

Much of the criticism that X has attracted relates to ...	Xに向けられた批判の大半が、…に関連したものだ。
Critics question the ability of the X theory to provide ...	批判側は、X理論が…を提供しうるかどうかについて疑義を呈している。
Many aspects of this interpretation have been questioned.	この解釈の多くの側面が、疑問視されている。
Non-government agencies are also very critical of the new policies.	非政府機関も、この新たな政策については強く批判している。
Smith's meta-analysis has been subjected to considerable criticism.	Smithのメタ分析は、かなりの批判を受けてきた。
These claims have been strongly contested in recent years by a number of writers.	これらの主張については、近年、何人もの執筆者から強い異議があがっている。
The X theory has been vigorously challenged in recent years by a number of writers.	X理論は、近年、何人もの執筆者から激しく批判されている。
More recent arguments against X have been summarized by Smith and Jones (1982): ...	Xに対する最近の反論は、SmithとJones(1982)がまとめている。すなわち…
Many analysts now argue that the strategy of X has not been successful. Jones (2003), for example, ...	今日では、多くの分析者が、X戦略が不成功だったと論じている。たとえばJones(2003)は、…

先行研究での不適切点を明確にする

Previous studies of X have not dealt with ...	Xについての以前の研究は、…を扱ってこなかった。
Researchers have not treated X in much detail.	研究者は、Xのことをあまり詳しく扱ってこなかった。
Such expositions are unsatisfactory because they ...	そうした説明は、…という理由で、不十分だ。
Most studies in the field of X have only focused on ...	X分野の研究は、大半が、…にのみ集中してきた。
Half of the studies evaluated failed to specify whether ...	評価した研究の半分は、…かどうかを特定していなかった。
The research to date has tended to focus on X rather than Y.	これまでの研究は、YでなくXに注目しがちだった。
Most empirical studies of X have relied upon small sample sizes.	Xについての実証的な研究は、大半が、小さい標本サイズに依拠するものだった。
However, these studies used non-validated methods to measure ...	しかし、これらの研究では、…を測定するにあたって、有効性が未確認の方法を使用していた。
The vast majority of researchers have not considered the effects of ...	研究者の圧倒的大半は、…の影響を考慮してこなかった。
The existing accounts fail to resolve the contradiction between X and Y.	現状の説明は、XY間の矛盾を解明できていない。
Most studies of X have only been carried out in a small number of areas.	Xについての研究は、大半が、少数の領域でのみ実施されてきた。
However, much of the research up to now has been descriptive in nature.	しかし、これまで実施された研究の大半は、記述的な性格を持つ研究だった。
Small sample sizes have been a serious limitation for many earlier studies.	標本サイズが小さいことは、これまでの多くの研究で重大な制約となってきた。
The lack of reliable instruments is particularly problematic for studies of ...	信頼できる機器がないことは、…の研究にとって特に問題が多い。
None of the studies reviewed appear to have controlled for the effects of ...	レビューした研究のどれも、…の効果について対照を用いていないようだ。
The generalizability of much published research on this issue is problematic.	この問題を扱った公表済みの多くの研究は、一般化できるかどうかという点で問題がある。
This general lack of methodological rigor may put in question the results of ...	方法論的厳密さをこのように総じて欠いていることで、…の結果についても疑義が生じかねない。
However, few writers have been able to draw on any structured research into ...	しかし、…についての構造化された研究を利用できた執筆者はほとんどいない。

There are obvious difficulties in accepting the reliability of self-report information.	自己報告情報の信頼性を認めることには、明らかな困難がある。
However, these results were limited to X and are therefore not representative of ...	しかし、これらの結果はXに限ってのものであり、…を代表するものではない。
Most of the research on the association between X and Y is flawed methodologically.	XY間の関連性を扱った研究の大半は、方法論的な間違いがある。
The experimental data are rather controversial, and there is no general agreement about ...	実験データについては議論の余地が相当あり、…についての一般的な一致点はない。
Although extensive research has been carried out on X, no single study exists which adequately ...	Xについては広範な研究が行われているものの、…を適切なかたちで行った研究はひとつもない。

Most studies of X Xをめぐる研究の大半は、	have only focused on ... …にしか集中してこなかった。 are unsatisfactory because they ... …のせいで不十分だ。 fail to estimate economic rates of ... 経済…率を推測できていない。 have only investigated the impact of ... …のインパクトしか調べていない。 have not included variables relating to ... …に関連する変数を含めてこなかった。 are limited by weak designs and a failure to address ... 不十分な設計と…に対する取り組み不足という限界がある。 have only been carried out in a small number of areas. 少数の領域でしか実施されていない。

実証的な研究での不適切点を明確にする

The study suffers from ...	この研究には、…という欠点がある。
The paper fails to specify ...	この論文は、…を特定していない。
No attempt has been made to ...	…する試みが、なされていない。
The study makes no attempt to ...	この研究は、…しようとしていない。
The report provides little evidence that ...	この報告は、…というエビデンスをほとんど提出していない。
A major problem with this experiment was that ...	この実験の主要な問題として、…ということがあった。
No attempt was made to quantify the association between X and Y.	XY間の関連を定量化する試みはなされていない。
The scope of this research was relatively narrow, being primarily concerned with ...	この研究の範囲は比較的狭く、主に…にかかわる範囲であった。

Smith's study of X is considered to be the most important, but it does suffer from the fact that ...	SmithのXについての研究は特段に重要だと考えられているが、この研究の問題として、…という事実がある。
However, these results were based upon data from over 30 years ago and it is unclear whether ...	しかし、これらの結果は、30年以上前のデータに基づくもので、…かどうかははっきりしない。

Smith Smithは、 The paper この論文は、	fails to does not makes no attempt to	specify ... …を明記(して/しようとして)いない。 quantify ... …を定量~ separate ... …を分離~ compare ... …を比較~ account for ... …を説明~ suggest why ... なぜ…なのかを示唆~ analyze how ... どのように…なのかを分析~ ascertain whether ... …かどうかを確認~ distinguish between ... …同士を区別~ explain the meaning of ... …の意味を説明~ provide information on ... …についての情報を提供~ address the question of ... …という問題に対応~ assess the effectiveness of ... …の有効性を評価~ use a standardized method of ... …の標準化された方法を使用~ give sufficient consideration to ... …を十分考慮~ consider the long-term impact of ... …の長期的なインパクトを考慮~ offer an adequate explanation for ... …についての適切な説明を提供~ engage with current discourses on ... …についての現在の言説に関与~ determine the underlying causes of ... …の背景にある原因を判断~ systematically review all the relevant literature. 関連文献すべてを体系的にレビュー~

(However,) (しかし、)	the study この研究は、 the paper この論文は、	suffers from 困ったことに、	selection bias. 選択バイアスがある。 limited sample size. 標本サイズの制約がある。 poor external validity. 外的妥当性に乏しい。 multiple design flaws. デザイン上の欠陥が複数ある。 an overemphasis on ... …に過度に重きを置いている。 serious statistical flaws. 統計上の深刻な欠陥がある。 insufficient sample size. 標本サイズが不十分だ。 inconsistent definitions. 定義が不整合だ。 poorly developed theory. 理論展開が不十分だ。 historical and cultural bias. 歴史的・文化的バイアスがかかっている。 methodological limitations. 方法論的制約がある。 serious sampling problems. サンプリング上の深刻な問題がある。 a lack of clarity in defining ... …を定義するにあたって明瞭さが足りない。

			inadequate research design. 研究デザインが不適切だ。 considerable design limitations. デザイン上の制約がかなりある。 the use of poorly matched controls. 対応が不十分な対照を使用している。 a paucity of standardized measures. 標準化された尺度が足りない。 notable methodological weaknesses. 方法論的脆弱性が顕著だ。 fundamental flaws in research design. 研究デザインに根本的欠陥がある。 lack of a strong theoretical framework. 強固な理論枠組みを欠いている。 certain ambiguities at the conceptual level. 概念レベルにある種の不明瞭性がある。 an over-reliance on self-report methodology. 自己報告という方法論に過度に依存している。 a restricted range of methodological approaches. 方法論的アプローチの範囲が制約されている。 shortcomings in the methods used to select cases. 事例選択時に使用する方法に欠点がある。 a lack of well-grounded theoretical considerations. 十分な根拠のある論理的配慮を欠いている。 several conceptual and methodological weaknesses. 概念的・方法論的な弱点がいくつかある。

Smith Smithは、 The study この研究は、 The report この報告は、	overlooks fails to acknowledge makes no attempt to consider	the impact of ... …のインパクトを〔見落としている／認めていない／考えようとしていない〕。 the reasons for ... …の理由〜 the evidence for ... …のエビデンス〜 the contexts in which ... …であるような背景状況〜 several key aspects of ... …の主要側面いくつか〜 the variable nature of ... …の不安定な性格〜 other explanations for ... …についてのそれ以外の説明〜 the complex nature of ... …の複雑な性格〜 the potential impact of ... …の潜在的なインパクト〜 the social dimension of ... …の社会的次元〜 the dynamic aspects of ... …の動的側面〜 the underlying causes of ... …の背後にある要因〜 the ethical implications of ... …の倫理的含意〜 the important role played by ... …が担う重要な役割〜 the demographic factors that ... …するような人口動態的要因〜 the broader implications of how ... どのように…かということの持つ幅広い含意〜 the unique complexities faced by ... …が直面する独自の複雑性〜 the contextual factors that influence ... …に影響を与えるような前後関係の要因〜

No attempt has been made to	determine whether ... …かどうかを判定する試みはまだ行われていない。 investigate whether ... …かどうかを調査〜 estimate the risk of ... …のリスクを推定〜 quantify the degree of ... …の程度を定量化〜 model the dynamics of ... …の動態をモデル化〜

However, しかし、	the analysis is largely superficial, based solely on ... この分析は、…のみを根拠としており、おおむね表層的だ。 the sample size in this study was relatively small ... この研究の標本サイズは、相当小さく… this research has a number of methodological weaknesses. この研究には方法論的弱点がいくつもある。 the degree of X experienced by patients was not measured. 患者が経験したようなXの度合いは測定されなかった。 a major weakness with this study is that there was no control for X. この研究の主要な弱点は、Xについて対照を置かなかったことだ。 a major problem with this experiment was that no control for X was used. この実験の主要な問題は、Xについて対照を用いなかったことだ。 one of the problems with the instrument the researchers used to measure X was ... 研究者がXの測定に使用した装置をめぐる問題のひとつは、…であった。 the main methodological weakness is that X was only monitored for 12 months. 方法論上の主たる弱点は、Xの監視が12ヶ月しか行われなかったことだ。

疑問点・問題点・限界を指摘する（理論や議論）

The main weakness with this theory is that ...	この説の主たる弱点は、…である。
The key problem with this explanation is that ...	この説明の主たる問題は、…である。
However, this theory does not fully explain why ...	しかし、この説は、なぜ…なのかという十分な説明をしていない。
One criticism of much of the literature on X is that ...	Xを扱った文献の多くに対する批判として、…がある。
Critics question the ability of the X theory to provide ...	批判側は、X説が…を提供できるかどうかについて疑問視している。
However, there is an inconsistency with this argument.	しかし、この議論には一貫性を欠いた部分がある。
There are limits to how far the concept of X can be taken.	Xという概念がどこまでの広がりを持ちうるかについては制約がある。
A serious weakness with this argument, however, is that ...	しかし、この議論の重大な弱点として、…ということがある。

However, such explanations tend to overlook the fact that ...	しかし、そうした説明は、…という事実を見落としがちだ。
One question that needs to be asked, however, is whether ...	しかし、問題とされるべき問いとして、…かどうかというものがある。
One of the main difficulties with this line of reasoning is that ...	この流れでの推論が抱える主要な困難のひとつに、…がある。
Smith's argument relies too heavily on qualitative analysis of ...	Smithの議論は、…の定性的な分析に頼りすぎている。
Smith's interpretation overlooks much of the historical research ...	Smithの解釈は、歴史研究の多くを見落としており、…
Many writers have challenged Smith's claim on the grounds that ...	多くの執筆者が、…という理由でSmithの主張に対して異議を表明してきた。
The X theory has been criticized for being based on weak evidence.	X説は、根拠が脆弱だと批判されている。
Smith's analysis does not take account of X, nor does he examine ...	Smithの分析は、Xを考慮していないし、…について調べてもいない。
The existing accounts fail to resolve the contradiction between X and Y.	既存の説明では、XとYの間の矛盾を解決できていない。
It seems that Jones' understanding of the X framework is questionable.	Xフレームワークについての Jonesの理解は、疑わしいようだ。
Aspects of X's theory have been criticized at a number of different levels.	Xの説の各側面は、いくつもの異なるレベルで批判されている。
One of the limitations with this explanation is that it does not explain why...	この説明の限界のひとつは、なぜ…なのかを説明していないことにある。
A final criticism of the theory of X is that it struggles to explain some aspects of ...	Xの理論に対する決定的な批判は、この説では…のいくつかの側面を説明しきれていないということだ。
The X theory has been vigorously challenged in recent years by a number of writers.	X理論は、近年、何人もの執筆者によって激しく批判されている。
A second criticism of the hypothesis draws upon research evidence which suggests ...	この仮説に対する第二の批判は、…について示す研究上のエビデンスに依拠している。
The X hypothesis has been questioned on the basis of some conflicting experimental findings.	X仮説については、実験で得られたいくつかの矛盾する知見に基づいて疑義が呈されている。

The theory is unable to この説では、	predict ...　…が予測できない。 explain why ...　なぜ…なのか説明できない。 fully account for ...　…を十分説明できない。 adequately explain the ...　…を適切に説明できない。 explain what happens when ...　…したときに何が起こるのかを説明できない。 make any useful prediction about ...　…についての有用な予測ができない。 explain the differences observed when ... …のときに観測される差異を説明できない。 provide a comprehensive explanation for ... …についての包括的な説明になっていない。

The current model of X suffers from Xについての現在のモデルには、	poor scalability.　貧弱なスケーラビリティーという問題がある。 unnecessary complexity.　不必要に複雑だという問題がある。 lack of empirical support.　経験的な裏づけの欠如という問題がある。 several methodological problems.　いくつかの方法論的な問題がある。 certain weaknesses that hinder its ability to... せっかくの…する能力を台無しにする、ある種の弱点がある。

疑問点・問題点・限界を指摘する（方法や実践）

The limitation of this approach is that ...	このアプローチの限界は、…ということだ。
A major problem with the X method is that ...	X法に関する重要な問題として、…ということがある。
One major drawback of this approach is that ...	このアプローチの主要な欠点に、…がある。
Selection bias is another potential concern because ...	…という理由で、選択バイアスがもうひとつの潜在的な懸念だ。
Perhaps the most serious disadvantage of this method is that ...	ひょっとすると、この方法の最も深刻な欠点は、…という点かもしれない。
The main limitation of biosynthetic incorporation, however, is ...	しかし、生合成による取り込みの主たる限界は、…ということにある。
Non-government agencies are also very critical of the new policies.	非政府機関も、この新たな政策については強く批判している。
All the studies reviewed so far, however, suffer from the fact that ...	しかし、これまでレビューしてきた研究は、いずれも…という事実を問題として抱えている。
Critics of laboratory-based experiments contend that such studies ...	研究室ベースの実験を批判する側は、そうした研究は…だと主張する。
Another problem with this approach is that it fails to take X into account.	このアプローチのもうひとつの問題は、Xを考慮していないことだ。

Difficulties arise, however, when an attempt is made to implement the policy.	しかし、このやり方を実行しようとすると、困難が生じる。
There are obvious difficulties in accepting the reliability of self-report information.	自己報告によって得られた情報の信頼性を認めることには、明らかにいくつもの困難がある。
There are certain problems with the use of focus groups. One of these is that there is less ...	フォーカスグループの使用にはいくつかの問題がある。そのひとつは、…が少ないことだ。
Critics have also argued that not only do surveys provide an inaccurate measure of X, but the ...	批判者たちは、調査で得られるXの測定値が不正確だというだけでなく、…だとも論じた。
Nevertheless, the strategy has not escaped criticism from governments, agencies and academics.	やはり、この戦略は、政府や諸機関やアカデミズムからの批判を免れることはできなかった。
Many analysts now argue that the strategy of X has not been successful. Jones (2003), for example, argues that ...	現時点では、多くのアナリストが、Xの戦略は成功していないと論じている。たとえば、Jones（2003）は…と論じる。

However, all the previously mentioned methods suffer from (some) serious しかし、これまで言及された方法には、いずれも、（いくつかの）深刻な	drawbacks.　欠点がある。 limitations.　限界がある。 weaknesses.　弱点がある。 shortcomings.　欠点がある。 disadvantages.　不利な点がある。

However, しかし、	this method of analysis has a number of limitations. この分析方法には、限界がいくつもある。 this method does involve potential measurement error. この方法には、たしかに潜在的な測定誤差がある。 approaches of this kind carry with them various well-known limitations. この種のアプローチには、周知の限界が各種ある。 questions have been raised about the reliability of self-report methods. 自己報告法の信頼性をめぐっては、各種の疑義が呈されてきている。

Selection bias is another (potential) 選択バイアスも、（潜在的な）	risk.　リスクである。 concern.　懸念である。 problem.　問題である。 limitation.　限界である。 weakness.　弱点である。 threat to internal validity.　内的妥当性への脅威である。 limitation of systematic reviews.　体系的レビューの限界である。

特定の著者やその研究について批判する

Smith seems to ignore ...	Smithは、…を無視しているようだ。

Smith fails to grasp that ...	Smithは、…であることを把握できていない。
Smith's interpretation overlooks ...	Smithの解釈は、…を見落としている。
Smith overlooks a number of important sources.	Smithは、大事な資料をいくつも見落としている。
Smith fails to acknowledge the social aspects of ...	Smithは、…が持つ社会的な側面を認識できていない。
However, Smith's accounts are clearly ideological.	しかし、Smithの記述は明らかにイデオロギー的だ。
Although Smith has argued that ... she neglects to note that ...	Smithは…であると論じたが、…であると述べるのを怠っている。
Many aspects of Smith's interpretation have been questioned.	Smithの解釈は、多くの点で疑問視されている。
Smith's meta-analysis has been subjected to considerable criticism.	Smithのメタ分析は、かなり批判されてきている。
The most important of these criticisms is that Smith failed to note that ...	これらの批判のうちで特に大事なのは、Smithが…に気づかなかったという点だ。
The most convincing rebuttal of Smith's interpretations has been written by ...	Smithの解釈に対する最も説得力ある反論が、…によって書かれている。
Smith's decision to prioritize X as the primary cause of Y has been widely attacked.	Yの主因としてXを前景化するというSmithの判断は、多くの批判を受けている。
The scope of this research was relatively narrow, being primarily concerned with ...	この研究の範囲は比較的狭く、主に…とかかわるような範囲だった。
Smith's study of X is considered to be the most important, but it does suffer from the fact that ...	SmithのXについての研究は特段に重要な研究だと考えられているが、この研究の問題として、…という事実がある。

(However,) （しかし、）	the paper does not address ... この論文は、…に取り組んでいない。 Smith fails to fully define what ... Smithは、何が…かを十分に定義していない。 a major criticism of Smith's work is that ... Smithの研究に対する主要な批判は、…というものだ。 Jones fails to acknowledge the significance of ... Jonesは、…の重要性を認識できていない。 the author overlooks the fact that X contributes to Y. 著者は、XがYに貢献しているという事実を見落としている。 what Smith fails to do is to draw a distinction between ... Smithが行わなかったのは、…間を区別することだ。 Smith's paper would appear to be over ambitious in its claims. Smithの論文は、主張が野心的すぎるように見えるはずだ。 the main weakness of the study is the failure to address how ... この研究の主たる弱点は、どのように…かということについて取り組まなかったことだ。 another weakness is that we are given no explanation of how ... もうひとつの弱点は、どのように…かということについて説明がなされていないことだ。 the research does not take into account pre-existing ... such as ... この研究は、…のような既存の…を考慮していない。

	the study fails to consider the differing categories of damage that ... この研究は、…であるような各種範疇の損傷を考慮していない。 the author offers no explanation for the distinction between X and Y. 著者はXY間の区別についてなんら説明していない。 Smith makes no attempt to differentiate between different types of X. Smithは、異なったタイプのXを区別しようとしていない。

Smith Smithは、 The book この本は、 The paper この論文は、	fails to does not makes no attempt to	specify ... …を明記〔できて／して／しようとして〕いない。 quantify ... …を定量〜 compare ... …を比較〜 separate ... …を分離〜 account for ... …を説明〜 suggest why ... なぜ…なのかを示唆〜 analyze how ... どのように…なのかを分析〜 ascertain whether ... …かどうかを確認〜 distinguish between ... …間を区別〜 explain the meaning of ... …の意味を説明〜 provide information on ... …についての情報を提供〜 address the question of ... …という問いに対応〜 assess the effectiveness of ... …の有効性を評価〜 use a standardized method of ... …についての標準化された方法を使用〜 give sufficient consideration to ... …を十分に考慮〜 consider the long-term impact of ... …の長期的インパクトを考慮〜 offer an adequate explanation for ... …について適切なかたちで説明〜 engage with current discourses on ... …についての現在の言説に関与〜 determine the underlying causes of ... …の背景にある原因を特定〜 systematically review all the relevant literature. 全関連文献を体系的にレビュー〜

Smith Smithは、 The book この本は、 The paper この論文は、	overlooks fails to acknowledge makes no attempt to consider	the impact of ... …のインパクトを〔見落としている／認めていない／考えようとしていない〕。 the reasons for ... …の理由〜 the evidence for ... …についてのエビデンス〜 the contexts in which ... …であるような前後関係〜 several key aspects of ... …の主要側面のいくつか〜 the variable nature of ... …の不安定な性格〜 other explanations for ... …についての別の説明〜 the complex nature of ... …の複雑な性格〜 the potential impact of ... …が及ぼしうる衝撃〜 the social dimension of ... …の社会的な側面〜 the dynamic aspects of ... …の動的な側面〜 the underlying causes of ... …の背景となる要因〜 demographic factors that ... …という人口学的な要因〜 the ethical implications of ... …の倫理的な意味〜

		the important role played by ... …が果たす重要な役割〜 the broader implications of how ... どのように…かということの持つ幅広い含意〜 the unique complexities faced by ... …が直面する独特の複雑さ〜 the contextual factors that influence ... …に影響を与える背景要因〜

建設的な内容を提案する

The study would have been more interesting if it had included ...	この研究は、…も扱えていればさらに興味深いものになっていただろう。
These studies would have been more useful if they had focused on ...	これらの研究は、…に焦点をあてていればもっと有用だったろう。
The study would have been more relevant if the researchers had asked ...	この研究は、研究者たちが…について問うていればもっと妥当なものとなったはずだ。
The questionnaire would have been more useful if it had asked participants about ...	この質問票は、参加者に…について問うていれば、もっと有用だったろう。
The research would have been more relevant if a wider range of X had been explored.	この研究は、Xをもっと広範囲で調べられていれば、さらに適切なものとなったはずだ。

The study この研究は、 The findings これらの知見は、 Smith's paper Smithの論文は Her conclusions 彼女の結論は、	would have been might have been	more much more far more	useful original relevant convincing interesting persuasive	if he/she had if the author had	used ... adopted ... included ... provided ... considered ...
	もし〔彼・彼女／著者〕が…を〔使用／採用／包含／提供／考慮〕していれば、〔もっと／はるかに〕〔有用／創造的／適切／説得的／興味深い／説得的〕だった〔ろう／かもしれない〕。				

A more comprehensive study would include all the groups of ...	もっと包括的な研究が行われれば、…の全グループが含まれることになるはずだ。
A better study would examine a large, randomly selected sample of societies with ...	もう少しきちんとした研究であれば、…を有する団体の大規模無作為抽出サンプルを調べるはずだ。
A much more systematic approach would identify how X interacts with other variables that ...	きちんと体系的に取り組めば、Xが、…であるような他の変数とどのように相互作用しているかを特定できるはずだ。

研究をポジティブに評価する

This article provides a valuable insight into ...	この論文は、…についての価値ある見通しを提供するものだ。
Overall, X's study is a powerful explanation of ...	全体として、Xの研究は、…の力強い説明になっている。
Smith's research is valuable for our understanding of ...	Smithの研究は、我々が…について理解するうえで価値がある。
The first major fieldwork project that was started in X was ...	Xで開始された最初の大型野外研究プロジェクトが…だった。
In his seminal text, *XXXXX,* Smith devoted some attention to ...	Smithは彼の独創的な論文「XXXXX」で、…にある程度の関心を寄せた。
One of the most influential accounts of X comes from Smith (1986) ...	Xについての特に影響力ある説明として、Smith(1986)があり、…
Smith's synthesis remains one of the most comprehensive studies of ...	Smithによる体系化は、依然として、…についての最も包括的な研究のひとつだ。
Smith makes an interesting contribution with regard to the impact of ...	Smithは、…の影響に関して、興味深い貢献をしている。
In a well-designed and robust study, Smith (1998) examined data from ...	Smith(1998)は、よく計画されたしっかりした研究で、…から得たデータを調べた。
A good summary of the classification of X has been provided in the work of ...	Xの分類についての優れたまとめが、…の研究で提供されている。
The pioneering work of Smith remains crucial to our wider understanding of ...	Smithによる先駆的研究は、我々が…について広く理解するうえで依然として不可欠だ。
The most comprehensive study of X during this period has been undertaken by ...	Xについてのこの時期の最も包括的な研究は、…によって実施された。
Smith, in his comprehensive two-volume biography of X, devoted a substantial section to ...	Smithは、Xについての2巻本の包括的な伝記で、かなりの部分を…の記述に費やした。
Smith's study is of great significance as it marks the first attempt to assess the broader impact of ...	Smithの研究は、…が及ぼすさらに広範なインパクトを評価するはじめての試みであり、とても重要だ。
A more substantial approach to the longer-term significance of X can be found in Smith's recent article in ...	Xの長期的重要性をめぐるもっと実質的なアプローチについては、…に載ったSmithの最近の論文で読むことができる。

<table>
<tr><td>Smith (1990)</td><td>offers
provides
presents</td><td>a useful
a detailed
an original
an insightful
an extensive
an interesting
a comprehensive
a contemporary</td><td>analysis of ...</td></tr>
<tr><td>Smith (1990) は、</td><td colspan="3">…についての〔有用な／詳細な／独自の／見通しのよい／広範な／興味深い／包括的な／今日的な〕分析を提供している。</td></tr>
</table>

<table>
<tr><td rowspan="2">In his
彼の

In her
彼女の

In this
この</td><td rowspan="2">useful　有用な
timely　時宜を得た
seminal　独創的な
detailed　詳細な
thorough　網羅的な
excellent　秀逸な
influential　影響力ある
important　重要な
innovative　革新的な
pioneering　先駆的な
impressive　印象的な
wide-ranging　広範な
comprehensive　包括的な
ground-breaking　画期的な</td><td rowspan="2">study (of X),
survey (of X),
analysis (of X),
examination (of X),
investigation (into X),
（Xについての）〔研究／調査／分析／吟味／研究〕で、</td><td rowspan="2">Smith (2012)
Smith (2012) は、</td><td>found ...
…を見出した。
concluded that ...
…であるとの結論に達した。
was able to show ...
…を示すことができた。</td></tr>
<tr><td>argues that ...
…と論じる。
makes the case for ...
…に賛同する。
provides a valuable ...
価値ある…を提供する。</td></tr>
</table>

<table>
<tr><td>Smith's
Smithの</td><td>seminal　独創的な
landmark　画期的な
thoughtful　思慮深い
innovative　革新的な
pioneering　先駆的な
influential　影響力ある
informative　有益な
fascinating　すばらしい
wide-ranging　広範な
comprehensive　包括的な
ground-breaking　画期的な</td><td>study
研究は、

analysis
分析は、</td><td>provides a valuable insight into ...
…についての価値ある見通しを示している。

makes a valuable contribution with regard to ...
…に関して価値ある貢献をしている。

remains crucial to our wider understanding of ...
…をさらに広く理解するうえで今なお欠かせない。

is of great significance as it marks the first attempt to ...
…を行うはじめての試みであるため、極めて重要だ。</td></tr>
</table>

他の執筆者による批判的応答を紹介する

Smith (2014) disputes this account of ...	Smith(2014)は、…についてのこの説明に異議を唱える。
Jones (2003) has also questioned why ...	Jones(2003)も、なぜ…なのかと問うた。
However, Jones (2015) points out that ...	しかし、Jones(2015)は、…であると指摘している。
The author challenges the widely held view that ...	著者は、…という広く受け入れられた見解に挑んでいる。
Smith (1999) takes issue with the contention that ...	Smith(1999)は、…という主張に異議を唱える。
The idea that ... was first challenged by Smith (1992).	…という発想については、まずSmithによって異議が唱えられた(Smith, 1992)。
Smith is critical of the tendency to compartmentalize X.	Smithは、Xを区分化する傾向に対して批判的だ。
However, Smith (1967) questioned this hypothesis and ...	しかし、Smith(1967)は、この説に異議を唱え、そして…
Smith (1980) broke with tradition by raising the question of ...	Smith(1980)は、…という疑問を投げかけることで伝統と決別した。
Jones (2003) has challenged some of Smith's conclusions, arguing that ...	Jones(2003)は、…と論じて、Smithの結論のいくつかに異議を唱えた。
Another major criticism of Smith's study, made by Jones (2003), is that ...	Jones が行った、Smithの研究に対するもうひとつの主要な批判は、…というものだ(Jones, 2003)。
Jones (2003) is critical of the conclusions that Smith draws from his findings.	Jones(2003)は、Smithが彼の知見から導出した結論に対して批判的だ。
An alternative interpretation of the origins of X can be found in Smith (1976).	Xの起源をめぐる別の解釈が、Smith(1976)に書かれている。
Jones (2003) is probably the best known critic of the X theory. He argues that ...	Jonesは、おそらく、X理論の最もよく知られた批判者だ(Jones, 2003)。その彼は、…と論じている。
In her discussion of X, Smith further criticizes the ways in which some authors ...	Smithは、Xについての議論で、何人かの著者が…するやり方についてさらに批判している。
Smith's decision to reject the classical explanation of X merits some discussion ...	Xについての古典的説明を拒絶するというSmithの判断は、…のような議論を利するものだ。
In a recent article in *Academic Journal*, Smith (2014) questions the extent to which ...	Academic Journalに掲載された最近の論文で、Smithは、どこまで…なのかという点について疑問を投げかけている(Smith, 2014)。
The latter point has been devastatingly critiqued by Jones (2003), who argues that ...	後者の点については、…であると論じるJonesによって完膚なきまでに批判されている(Jones, 2003)。

A recently published article by Smith *et al.* (2011) casts doubt on Jones' assumption that ...	最近公表されたSmithらの論文は、Jonesの…という仮定に対して疑義を呈している(Smithら, 2011)。
Other authors (see Harbison, 2003; Kaplan, 2004) question the usefulness of such an approach.	他の著者(Harbison, 2003; Kaplan, 2004を参照)は、こうしたアプローチの有用性に疑問を投げかけている。
Smith criticized Jones for his overly restrictive and selective definition of X which was limited to ...	Smithは、Jonesの立てた…に限定されるような過度に制限的かつ選択的なXの定義をめぐって、Jonesを批判した。
Smith's analysis has been criticized by a number of writers. Jones (1993), for example, points out ...	Smithの分析は、幾人もの著者によって批判されてきた。たとえば、Jones(1993)は、…について指摘する。

Smith Smithは、	criticizes ... …を批判している。 questions ... …に疑問を呈している。 challenges ... …を問題にしている。 is critical of ... …に対して批判的だ。 casts doubt on ... …に疑義を投げかけている。 points out that ... …であることを指摘している。 takes issue with ... …に異議を唱えている。 raises a number of questions about ... …をめぐる疑問をいくつも提起している。

批判を目的とするセクションへといざなう

The section below The section that follows 以下のセクションでは、…	critically	assesses examines	the idea that ... …という発想を批判的に〔評価/検討〕する。 the view that ... …という見方～ the claim that ... …という主張～ the quality of ... …の質～ the concept of ... …という概念～ the role played by ... …が演じる役割～ the argument that ... …という議論～ Smith's analysis of ... Smithによる…の分析～ the effectiveness of ... …の有効性～ the current approaches to ... …に対する現在のアプローチ～

第8章 慎重を期す際の表現

学術分野のコミュニケーションの際だった特徴として、少しでも不確実な部分がありそうなら断定的な表現は避け、少数でも例外がありそうなら過度の一般化を避けるというものがある。つまり、何かを述べたり主張したりする際に、その認識論的な強さ（知の強さ）を和らげる（弱める）場合も多いということだ。

それだけでなく、執筆者が、他の執筆者の述べた内容や主張に対して距離を置きたい場合もあるだろう。

言語学の分野では、記述内容の強さを弱めたり、記述内容と距離を置いたりする表現手段は、「垣根手段（hedging devices）」として知られている。研究報告を多数分析してみてわかったのは、こうした垣根手段が多用されるのが「考察」のセクション、それも得られた知見について著者が説明する部分だということだった。

述べようとする見解と少し距離を置く

It is thought that ...	…であると思われる。
It is believed that ...	…であると考えられる。
It has been reported that ...	…であると報告されている。
It is a widely held view that ...	…という見解が広く支持されている。
It has commonly been assumed that ...	一般に、…というふうに考えられている。

According to Smith (2002), ...	Smith（2002）によると、…
According to recent reports, ...	最近の報告によると、…
According to many in the field ...	この分野の多くの研究者によると、…
Many scholars hold the view that ...	多くの研究者が…という見解をとっている。
Smith (2001) is of the opinion that ...	Smith（2001）は、…という見解をとっている。
Recent research has suggested that ...	最近の研究で、…ということが示唆された。
If Smith's (2001) findings are accurate, ...	Smith（2001）の知見が正確だとすると、…
There is some evidence to suggest that ...	…であることを示すエビデンスがいくつかある。
There is a growing body of evidence to suggest that ...	…であることを示すエビデンスが増えつつある。

慎重を期す（解釈や仮説の提示）

These frequent storms	may be could be might be are almost certainly	due to climate change.
こうした頻繁な嵐は、	気候変動のせい〔なのかもしれない／である可能性がある／なのかもしれない／であることがほぼ確実だ〕。	

It may be It is likely It could be It is possible It is probable It is almost certain	that	these frequent storms こうした頻繁な嵐は、	are a result of climate change. 気候変動のせい〔かもしれない／のようだ／かもしれない／である可能性がある／である可能性が高い／であることがほぼ確実だ〕。

A likely explanation A possible explanation A probable explanation	is that	these frequent storms こうした頻繁な嵐については、	are a result of climate change. 気候変動のせいということで説明できる〔ようだ／可能性がある／可能性が高い〕。

慎重を期す（結果の説明）

This inconsistency may be due to ...	この不一致は、…のせいかもしれない。
This discrepancy could be attributed to ...	この食い違いは、…のせいかもしれない。
A possible explanation for this might be that ...	このことについての可能な説明としては、…がある。
It seems possible that these results are due to ...	これらの結果は、…のせいである可能性がある。
This rather contradictory result may be due to ...	矛盾するようにも見えるこの結果は、…のせいかもしれない。
The observed increase in X could be attributed to ...	観察されたXの増加は、…が原因かもしれない 。
The possible interference of X cannot be ruled out ...	Xによる干渉の可能性は、除外できず、…
There are several possible explanations for this result.	この結果については、いくつかの説明が可能だ。
There are two likely causes for the differences between ...	…間の違いについては、考えられる原因が2つある。

A possible explanation for these results may be the lack of adequate ...
これらの結果については、適切な…を欠いていたという説明も可能だろう。

Since this difference has not been found elsewhere it is probably not due to ...
この差は他では見つかっていないので、おそらく…のせいではない。

It is possible that these results これらの結果は	
	are due to ...　…のせいである可能性がある。
	are limited to ...　…に限定されている〜
	are only valid for ...　…についてのみ有効である〜
	may not apply to ...　…にはあてはまらない〜
	do not represent the ...　…を代表していない〜
	do not accurately reflect ...　…を正確に反映していない〜
	have been confounded by ...　…のせいで混乱した〜
	may have been skewed by ...　…のせいでゆがんでいる〜
	might be biased because of ...　…のせいでバイアスがかかっている〜
	could be a statistical anomaly.　統計学的にみれば変則的である〜
	might have been affected by ...　…の影響を受けた〜
	were influenced by the lack of ...　…の欠如に影響された〜
	merely reflect a selection effect. 選択の影響を反映しているだけの〜
	may underestimate the role of ... …の役割を過小評価している〜
	are not a true representation of ... …を事実どおり表していない〜
	underestimate the true prevalence of ... …の実際の流行を過小評価している〜
	might not be applicable to other groups ... 他のグループには適用できない可能性があり、…
	are an artifact of our experimental design. 我々の実験デザインゆえの人為的産物である〜
	are biased, given the self-reported nature of ... …が自己報告という性格にかんがみると、偏っている〜
	will not be reproducible on a wide scale across ... …をまたぐような広いスケールでは再現できない〜
	may not be generalizable to a broader range of ... 広い範囲の…に一般化できない〜

慎重を期す（結果が持つ意味や推奨内容についての論考）

The findings of this study suggest that ...
この研究で得られた知見は、…ということを示唆している。

Taken together, these results suggest that ...
これらの結果を総合すると、…であることが示唆される。

The evidence from this study suggests that ...
この研究で得られたエビデンスは、…であることを示唆している。

These results would seem to suggest that the ...
これらの結果は、…であることを示唆しているようだ。

These initial results are suggestive of a link between X and Y.	これらの初期の結果は、XとYに関連があることを示唆している。
Initial observations suggest that there may be a link between ...	初期の観察結果は、…が関連している可能性を示唆している。
The findings from these studies suggest that X can have an effect on ...	これらの研究で得られた知見は、Xが…に影響しうることを示唆している。
One possible implication of this is that ...	このことの示す意味としては、…の可能性もある。
Strategies to enhance X might involve ...	Xを増強する戦略は、…を含む可能性がある。
Other types of response could include: a) ..., b) ...	他のタイプの回答としては以下もありうる。たとえば、a)…、b)…
There would therefore seem to be a definite need for ...	したがって、…が明らかに必要とされているようだ。
A reasonable approach to tackle this issue could be to ...	この問題と取り組むうえで妥当なアプローチとしては、…がある。
The data reported here appear to support the assumption that ...	ここで報告されているデータは、…という仮定を裏づけているようだ。
Another possible area of future research would be to investigate why ...	今後の研究領域として、なぜ…なのかを調べるというのもあるはずだ。

過度の一般化を避ける

In general, this requires ...	一般的には、このためには…が必要だ。
In general terms, this means ...	一般的にいって、このことは…を意味している。
X is generally assumed to play a role in ...	一般に、Xは、…においてなんらかの役割を果たしていると考えられる。
Authors generally place an emphasis on ...	著者というのは、総じて…を強調するものだ。
X uses generally accepted principles to ...	Xは、…を行うにあたって、一般的に受け入れられた原則を用いる。
Generally accepted methods for X include: ...	Xについての一般に受け入れられた方法としては、以下のものがある。すなわち…
Studies which show no effect are not generally published.	効果が示されていない研究は、通常発表されない。
Research articles generally consist of the following components: ...	研究論文というのは、通常以下の要素からできている。すなわち…
Quantitative research is generally associated with the positivist paradigm.	定量的な研究には、総じて実証主義のパラダイムがつきものだ。

<table>
<tr><td rowspan="2">Ozone is toxic to
オゾンは、</td><td>most
almost all
some types of
many types of
the majority of
certain types of</td><td>living organisms.</td></tr>
<tr><td colspan="2">生物の〔大半／ほぼすべて／いくつかのタイプ／多くのタイプ／大半／特定タイプ〕にとって有害だ。</td></tr>
</table>

<table>
<tr><td rowspan="2">Ozone levels
オゾンのレベルは、</td><td>often
generally
frequently
sometimes
occasionally
nearly always</td><td>exceed WHO levels in many cities.</td></tr>
<tr><td colspan="2">多くの街で、WHOの定めたレベルを〔頻繁に／総じて／頻繁に／ときどき／時折／ほとんどの場合〕超える。</td></tr>
</table>

In general, the study found a tendency for ...	この研究では、総じて…という傾向が見出された。
There is a tendency for ozone to attack cells.	オゾンには、細胞を攻撃する傾向がある。
Ozone tends to attack cells and break down tissues.	オゾンは、細胞を攻撃して組織を破壊しがちである。
Smith (2003) found a tendency for X to be associated with ...	Smith（2003）は、…にともなってXが生じがちであることを見出した。
Smith *et al.* (1985) found a tendency for survey respondents to over-report ...	Smithら（1985）は、調査の回答者が…を過剰に報告しがちなことに気づいた。
The tendency for extreme scores to move toward the mean score over time is known as ...	極端なスコアが時間とともに平均スコアに近づく傾向は、…として知られている。

慎重を期す（将来の可能性の記述）

Severe weather 過酷な気象は、	may could might is likely to will probably will almost certainly	become more common in the future.
	今後もっと普通に〔なるかもしれない／なる可能性がある／なるかもしれない／なりそうだ／なるだろう／まず間違いなくなるだろう〕。	

It is likely It is possible It is almost certain There is a possibility There is a small chance There is a strong possibility	that	the situation will improve in the long-term.
状況は長期的には改善される〔可能性が高い／可能性がある／ことはまず間違いない／可能性がある／可能性も少しはある／高い可能性がある〕。		

得られた知見について慎重な解釈を促す（「得られた知見の考察に用いる表現」p.106も参照）

These findings cannot be extrapolated to all patients.	これらの知見を、全患者に外挿することはできない。
These data must be interpreted with caution because ...	これらのデータは、…なので、慎重な解釈が必要だ。
These results therefore need to be interpreted with caution.	したがって、これらの結果は慎重に解釈する必要がある。
These results do not rule out the influence of other factors in ...	これらの結果は、…の他の要因の影響を除外するものではない。
This account must be approached with some caution because ...	…であるので、この説明はある程度慎重に読まれるべきだ。
It is important to bear in mind the possible bias in these responses.	これらの回答には偏りがある可能性を念頭に置いておくことが大事だ。
Although exclusion of X did not ..., these results should be interpreted with caution.	Xを除外しても…が生じることはなかったが、これらの結果は慎重に解釈する必要がある。
However, with a small sample size, caution must be applied, as the findings might not be ...	しかし、標本サイズが小さい以上、知見は…ではない可能性もあるので、慎重を期す必要がある。
The lack of a standardized outcome measure makes it difficult to interpret these results with confidence.	標準化された評価基準がないので、自信をもってこれらの結果を解釈するのは困難だ。

第9章 分類と列挙の表現

ものごとを分類するときには、何かしら共通点を持つ同士を見つけてグループを作り、そのグループに名前をつけるものだ。そうすれば、そのグループが共有する性質や特徴が理解できる。その一方で、分類というのは、ものごとの違いについて理解する手段でもある。

文章の執筆時には、ものごとを分類してみせることで読み手を新たなトピックにいざなうこともできる。概念の定義を示す場合同様、ものごとの分類も、文章の長短を問わず、文章の冒頭近くで行う。

ものごとを列挙していく作業は、各種の事項や情報を体系的に処理・提示したい場合に行われる。列挙された順番で、その項目の重要度がわかることもある。

一般的なかたちで分類する

X can be classified into Xi and Xii.	Xは、XiとXiiに分類できる。
X can be categorized into Xi, Xii and Xiii.	Xは、Xi、Xii、Xiiiのカテゴリーに分けられる。
Several taxonomies for X have been developed ...	Xについての分類法がいくつか開発され、…
Different methods have been proposed to classify ...	…を分類するために、各種の方法が提唱されている。
X may be divided into several groups: a) ..., b) ..., c) ...	Xは、いくつかのグループに分けられそうだ。すなわち、a)…、b)…、c)…
Generally, X provides two types of information: Xi and Xii.	一般に、Xは2種の情報、すなわちXiとXiiを提供する。
It has become commonplace to distinguish ‘Xi’ from ‘Xii’ forms of X.	Xの「Xi」形態を「Xii」形態から区別することが一般化した。
X is generally classified into two types: Xi, also known as ..., and Xii or ...	Xは、一般に2タイプ、すなわち、…としても知られるXiと、Xii、つまり…の2つに分けられる。
There are two basic approaches currently being adopted in research into X. One is ...	Xの研究で現在採用されている基本アプローチは2つあり、ひとつは、…である。
The theory distinguishes two different types of X, i.e. social X and semantic X (Smith, 2013).	この理論では、2タイプのX、すなわち社会的なXと記号論的なXを異なるものとして区別している(Smith, 2013)。
The works of Smith fall under three headings: (1) dialog and ..., (2) collections of facts, and (3) ...	Smithの仕事は、3項目に分けられる。すなわち、(1)対話と…、(2)事実の収集、(3)…である。

X may be divided into	three main	classes. categories. sub-groups.
Xは、3つの主要〔クラス／カテゴリー／サブグループ〕に分けられる。		

X may be classified	in terms of according to depending on on the basis of	Y	into Xi and Xii.
Xは、Yに〔よって／したがって／応じて／基づいて〕XiとXiiに分類される。			

具体的状況に即して分類する

Smith (2015) draws a distinction between ...	Smith(2015)は、…間を区別している。
Smith (2006) categorized X as being a) ..., b) ..., or c) ...	Smith(2006)は、Xを、a)…、b)…、c)…という状態に分類した。
Smith's (1980) typology of X is the one most widely-used.	Smith(1980)によるXの類別は、最も普及しているものだ。
Jones (1987) distinguishes between systems that are a) ..., b) ..., or c) ...	Jones(1987)は、a)…、b)…、c)…という体系を区別している。
A third method, proposed by Smith *et al.* (2010), bases the classification on a ...	Smithら(2010)によって提案された第三の方法は、分類の基盤を…に置いている。
To better understand X, Smith *et al.* (2011) classified Y into three distinct types using ...	Xの理解を深めるために、Smithら(2011)は、…を用いてYを別々のタイプ3つに分類した。
For Smith, X is of four kinds: (1) X which ...; (2) X which ...; (3) X which ...; and (4) X which...	Smithの場合、Xは4種からなる。すなわち(1)…であるX、(2)…であるX、(3)…であるX、(4)…であるXの4種だ。
In Jones's system, individuals were classified as belonging to upper or lower categories of ...	Jonesの体系では、各個体は、…の上位カテゴリーに属するか、下位カテゴリーに属するかで分類された。
Smith's taxonomy is a classification system used to define and distinguish different levels of ...	Smithの分類は、異なるレベルの…を定義して区別するために使用する分類システムだ。
Smith and Jones (2003) argue that there are two broad categories of Y, which are: a) ..., and b) ...	SmithとJones(2003)は、Yには広いカテゴリーが2つ、つまりa)…とb)…があると論じている。

In the traditional system, X is graded 伝統的システムでは、Xは	in terms of ...　…によって等級が決まる。 on the basis of ...　…に基づいて等級が決まる。 according to whether ...　…かどうかによって等級が決まる。

Smith's taxonomy is Smithの分類体系は、	used to classify ... …の分類に使用される。 a hierarchical model for classifying ... …を分類するための階層モデルだ。 a well-known description of levels of ... …のレベルについてのよく知られた記載である。 a classification of learning objectives ... 学習目標についての分類であり、… a widely acknowledged classification system useful for ... …に有用な、広く受け入れられた分類システムだ。 a multi-tiered model of classifying X according to different levels of ... Xを…のレベルの違いに応じて分類する多層モデルだ。

Smith and Jones (1966) SmithとJones(1966)は	divided grouped classified	Xs	into two broad types: Xis and Xiis.
	Xを、広めの2タイプ、つまりXiとXiiに〔分けた／グループ分けした／分類した〕。		

Smith (1996) describes Smith(1996)は、	four basic kinds of validity: logical, content, criterion, and construct.
	妥当性の基本タイプ4種、すなわち、論理性、内容、基準、構成の4種について記述している。

分類体系についてコメントする(ポジティブまたはニュートラル)

This system of classification この分類体系は、	includes ... …を含む。 allows for ... …を可能とする。 is widely used in ... …で広く用いられている。 helps distinguish ... …を区別しやすくする。 is useful because ... …であるので有用だ。 is very simple and ... とても単純かつ…だ。 provides a basis for ... …の基本となる。 has clinical relevance. 臨床上重要だ。 was agreed upon after ... …の後、一致をみた。 can vary depending on ... …に応じて異なってくる可能性がある。 is still respected and used. 今なお尊重され使用されつづけている。 is particularly well suited for ... …に特に向いている。 has withstood the test of time. 時の試練に耐えてきた。 is a convenient way to describe ... …を説明するうえで好都合だ。 has been broadened to include ... …も包含するよう拡張されている。 was developed for the purpose of ... …のために開発された。 is more scientific since it is based on ... …に基づいているので、その分さらに科学的だ。

分類体系についてコメントする（ネガティブ）

This system of classification この分類体系は、	is misleading.　誤った印象を与えやすい。 is now out of date.　今では時代遅れだ。 can be problematic.　問題を生じかねない。 is in need of revision.　改訂が必要だ。 poses a problem for ...　…にあたって問題がある。 is not universally used.　広く一般に使用されているわけではない。 is somewhat arbitrary.　やや恣意的だ。 is simplistic and arbitrary.　割り切りすぎで、しかも恣意的だ。 has relevance only within ...　…内でのみ妥当性がある。 has now been largely abandoned.　現在では大部分が放棄されている。 is obsolete and tends to be avoided.　旧式で、使用を避けるようになっている。 has limited utility with respect to ...　…に関して有用性が限定されている。

いくつかの事項を列挙する

This topic can best be treated under three headings: X, Y, and Z.	このトピックは、3種類の見出し、すなわち、X、Y、Zに分けて扱うのがよい。
The key aspects of management can be listed as follows: X, Y, and Z.	取り扱いの主要側面は、以下のように列挙できる。すなわち、X、Y、Zだ。
There are two types of effect which result when a patient undergoes X. These are ...	患者がXを経験したときに生じる効果が2種ある。つまり…
The *Three Voices for Mass* is divided into six sections. These are: the *Kyrie*, *Gloria*, ...	三声のミサ曲は、6つの部分に分かれている。つまり、キリエ、グローリア…
There are three reasons why the English language has become so dominant. These are:	英語がここまで優勢となったのには、理由が3つある。すなわち、
Appetitive stimuli have three separable basic functions. Firstly, they ... Secondly, they ...	食欲刺激には、分けて考えることのできる基本機能が3つある。第一に…、第二に…、
This section has been included for several reasons: it is ...; it illustrates ...; and it describes ...	この節は、いくつかの理由があって設けることにした。というのも、…であり、…が例示され、…が記載されているからだ。
The disadvantages of the new approach can be discussed under three headings, which are: ...	この新アプローチの弱点は、3つの表題のもとで議論することができる。つまり、…
During his tour of Britain, he visited the following industrial centers: Manchester, Leeds, and ...	英国巡業中、彼は以下の工業中心都市を訪れた。すなわち、マンチェスター、リーズ、…

The *Mass for Four Voices* consists of five movements, which are: the *Kyrie*, *Gloria*, *Credo*, *Sanctus*, and *Agnus Dei*.	この四声のミサ曲は、キリエ、グローリア、クレド、サンクトゥス、アニュス・デイの5楽章からなる。

他の執筆者が列挙した事項に言及する

Smith and Jones (1991) list X, Y and Z as the major causes of infant mortality.	SmithとJones (1991) は、乳児死亡の主因としてXとYとZを挙げている。
Smith (2003) lists the main features of X as follows: it is A; it is B; and it has C.	Smith (2003) は、Xの主要な特徴として、XはAであり、XはBであり、XはCを有しているということを挙げている。
Smith (2003) argues that there are two broad categories of Y, which are: a) ... and b) ...	Smith (2003) は、Yには広めのカテゴリーが2つ、すなわちa)…とb)…があると論じている。
Smith (2003) suggests three conditions for X. Firstly, X should be ... Secondly, it needs to be ...	Smith (2003) は、Xについて条件を3つ示している。第一に、Xは…でなくてはならず、第二に、Xは…でなくてはならず、…
For Aristotle, motion is of four kinds: (1) motion which ...; (2) motion which ...; (3) motion which ...; and (4) motion which ...	アリストテレスにとって、運動には4種、すなわち、(1)…である運動、(2)…である運動、(3)…である運動、(4)…である運動がある。

第10章 比較対照の表現

2つのものごとについて、その類似性と違いを理解できると、両方に対する理解が深まる。この過程では、分析作業が行われ、ものごとの特定の一部や全体同士が比較されるのが通例だ。

比較は、評価の予備段階として行われることもある。たとえば、AとBの特定の側面同士を比較することで、AとBのどちらが有用か、あるいは価値があるかを判断できる。

ものごとを比較対照するための段落は、一般的な用語を用いて書かれた一文から始まることが多い。

違いについて説明する

X is different from Y in a number of respects.	Xは、いくつもの点でYと異なっている。
X differs from Y in a number of important ways.	Xは、いくつもの重要なかたちでYと異なっている。
There are a number of important differences between X and Y.	XとYには、重要な違いがいくつもある。
Areas where significant differences have been found include X and Y.	有意な違いが見出された領域として、XとYが挙げられる。
In contrast to earlier findings, however, no evidence of X was detected.	しかし、従来の知見とは異なり、Xのエビデンスは検出されなかった。
A descriptive case study differs from an exploratory study in that it uses ...	記述的な事例研究は、…を用いるという点で探索的な研究とは異なる。
Jones (2013) found dramatic differences in the rate of decline of X between Y and Z.	Jones（2013）は、YとZではXの減少率が劇的に異なることを見出した。
Women and men differ not only in physical attributes but also in the way in which they ...	女性と男性は、身体的特徴が異なるだけでなく、…を行う際のやり方も異なる。
The nervous systems of Xs are significantly different from those of Ys in several key respects.	Xの神経系は、Yの神経系とは、いくつかの重要な点で有意に異なる。

Smith (2003) Smith(2003)は、	found observed	minor major distinct notable only slight significant considerable	differences between X and Y.
	XとYの〔わずかな/大きな/明瞭な/目立った/ほんのわずかの/有意な/相当な〕差異を〔発見/観察〕した。		

One of the most	crucial salient marked striking notable obvious important significant prominent noticeable interesting fundamental widely-reported	differences	between X and Y	is ...
XとYの最も〔決定的な/目立った/顕著な/印象的な/著しい/明瞭な/重要な/意味ある/顕著な/目立った/興味深い/根本的な/広く報告されてきた〕差異のひとつが、…だ。				

類似性について説明する

Both X and Y share a number of key features.	XとYは、基本的な特徴をいくつも共有している。
There are a number of similarities between X and Y.	XとYには、類似点がいくつもある。
The effects of X on human health are similar to those of Y.	Xが人の健康に及ぼす影響は、Yが及ぼす影響と似ている。
Both X and Y generally take place in a 'safe environment.'	XとYのいずれも、一般的に「安全な環境」で生じる。
These results are similar to those reported by Smith *et al.* (1999).	これらの結果は、Smithら(1999)によって報告された結果と似ている。
This definition is similar to that found in Smith (2001) who writes ...	この定義は、…と述べるSmith(2001)の定義と似ている。

The return rate is similar to that of comparable studies (e.g. Smith *et al.*, 1999).	回収率は、同等の研究（たとえばSmithら, 1999）と近い。
The approach used in this investigation is similar to that used by other researchers.	この研究で用いたアプローチは、他の研究者が用いたものと似ている。
Studies have compared Xs in humans and animals and found that they are essentially identical.	これらの研究は、人と動物でXを比較し、それらが本質的に同一であることを見出した。

The mode of processing used by the right brain 右脳で使用される処理モードは、	is similar to that 左脳で使用される処理モードと似ている。 is comparable to that 左脳で使用される処理モードに匹敵する。 is comparable in complexity to that 左脳で使用される処理モードと複雑さでは互角だ。	used by the left brain.

ひとつの文で比較する（whileなどを使用）

Oral societies tend to be more concerned with the present	while whereas	literate societies have a very definite awareness of the past.
文字社会が極めて明瞭な過去意識を持っているのに対し、無文字社会は現在を重視する傾向がある。		

While Whereas	oral societies tend to be more concerned with the present,	literate societies have a very definite awareness of the past.
無文字社会が現在を重視する傾向があるのに対し、		文字社会は極めて明瞭な過去意識を持っている。

ひとつの文で比較する（compared withなどを使用）

In contrast to Compared with	people in oral cultures,	people in literate cultures organize their lives around clocks and calendars.
無文字文化の人々と比べると、		文字文化の人々は、時計やカレンダーを中心に暮らしを営んでいる。

ひとつの文で比較する（differ fromなどを使用）

Smith's interpretation Smithの解釈は、	differs from that contrasts with that is different from that	of Jones (2004) who argues that ...
	…だと論じるJones（2004）の解釈とは〔異なる／対照的だ／異なる〕。	

ひとつの文で比較する（比較級を使用）

In the trial, women made fewer errors than men.	試験では、女性のほうが男性よりエラーが少なかった。
Women tend to have greater/less verbal fluency than men.	女性は、男性より言語流暢性が〔高い／低い〕傾向がある。
Adolescents are more/less likely to be put to sleep by alcohol than adults.	青年は、成人よりアルコールで眠らせられ〔やすい／にくい〕。
Further, men are more/less accurate in tests of target-directed motor skills.	さらに、男性は、標的指向型運動技能の正確さが〔高い／低い〕。
Women tend to perform better/worse than men on tests of perceptual speed.	女性は、知覚速度の検査では、男性より〔良い／悪い〕成績をとる傾向がある。
Women are faster/slower than men at certain precision manual tasks, such as ...	女性は、特定の細かい手作業、たとえば…が、男性より〔速い／遅い〕。
The part of the brain connecting the two hemispheres may be more/less extensive in women.	脳の両半球をつなぐ部分は、女性のほうが〔太い／細い〕可能性がある。
Women are more/less likely than men to suffer aphasia when the front part of the brain is damaged.	脳の前側部分に損傷を受けた場合、女性は男性より失語症になり〔やすい／にくい〕。

Women 女性は、	may be more/less susceptible to X 男性より、Xへの感受性が〔高い／低い〕可能性がある。 are more/less accurate in tests of X 男性より、Xの検査での正確さが〔高い／低い〕。 are more/less likely to perform well 男性より、〔高め／低め〕の成績をとることが多いようだ。 make more/fewer errors in tests of X 男性より、X検査でのエラーが〔多い／少ない〕。 tend to have greater/less verbal fluency 男性より、言葉の流暢さが〔高い／低い〕傾向がある。	than men.

	tend to perform better/worse in tests of X 男性より、X検査での成績が〔良い／良くない〕傾向がある。	

2つの文で違いを示す

It is very difficult to get away from calendar time in literate societies. 文字社会では、カレンダー的な時間から逃れるのはとても難しい。	By contrast, それとは対照的に、 In contrast, それとは対照的に、 On the other hand, 一方、	many people in oral communities have little idea of the calendar year of their birth. 無文字共同体では、自らの出生がカレンダー的な意味で何年だったのかという発想をほとんど持たぬ人々も多い。

According to some studies, X is represented as ... (Smith, 2012; Davis, 2014). 研究によっては、Xが…で代表されるとするものもある(Smith, 2012; Davis, 2014)。	Others propose ... (Jones, 2014; Brown, 2015). 他の研究では、…だと提案されている(Jones, 2014; Brown, 2015)。

Smith (2013) found that X accounted for 30% of Y. Smith(2013)は、XがYの30%を占めることを見出した。	Other researchers, however, who have looked at X, have found .... Jones (2010), for example, ... しかし、Xについて調べた他の研究者は、…だということを見出した。たとえばJones(2010)は、…

Jones (2002) reports that ... Jones(2002)は、…だと報告している。	However, Smith's (2010) study of Y found no ... しかし、YをめぐるSmithの研究(2010)では、…は見出されなかった。

2つの文で類似性を示す

Young children learning their first language need simplified input. 第一言語を学ぶ小さな子どもには、単純化されたインプットが必要だ。	Similarly, Likewise, In the same way, 同様に、	low level adult L2 learners need graded input supplied in most cases by a teacher. レベルが低めであるような成人の第二言語(L2)学習者には、学習到達度別のインプットが必要で、こうしたインプットは、たいていの場合、教師が与えることになる。

Smith (2009) argues that ... Smith (2009) は、…と論じている。 Jones (2003) sees X as ... Jones (2003) は、Xを…と見なしている。	Similarly, 同様に、 Likewise, 同様に、 In the same vein, 同じ流れで、	Brown (2013) asserts that ... Brown (2013) は、…と主張している。 White (2012) holds the view that ... White (2012) は、…という見解を保持している。 Green (1994) in his book *XXXXX* notes ... Greenは、著書『XXXXX』で…と記載している(Green, 1994)。

第11章 用語を定義する際の表現

大学では、指導教員が、学生が特定のキーワード（重要語句）の意味を言えるかどうかで、その語句を十分理解できているかどうかを確認することも多い。論文の執筆者も、キーワードを定義しておくことで、その特定のキーワードの使用時に読者が意味を正確に理解できるようにしておくものだ。

重要な語句がきちんと理解されていないと、誤解が生じかねない。実際、語句の解釈がずれたことに端を発する議論の行き違いは、研究、法務、外交、個人間など、現場を問わず頻発している。

学術的文章の執筆についても、研究に着手する前に、教員と学生は互いの解釈がずれていないかどうか確認しておいたほうがよいことが多い。

特定の用語の定義について書きはじめる

The term ‘X’ was first used by ...	「X」という用語は、…によってはじめて使用された。
The term ‘X’ can be traced back to ...	「X」という用語は、…までさかのぼることができる。
Previous studies mostly defined X as ...	これまでの研究では、Xはたいてい…であるとして定義されてきた。
The term ‘X’ was introduced by Smith in her ...	「X」という用語は、Smithによって彼女の…で導入された。
Historically, the term ‘X’ has been used to describe ...	歴史的には、「X」という用語は、…を説明するのに使用されてきた。
It is necessary here to clarify exactly what is meant by ...	ここで、…が何を意味するのかを正確なかたちで明らかにしておくことが必要だ。
This shows a need to be explicit about exactly what is meant by the word ‘X’.	このことから、語彙「X」が何を意味するかを正確に明示しておくことの必要性がわかる。

単純な3パート形式での定義

<table>
<tr><td rowspan="2">A university is
大学〔は／とは／というのは〕、</td><td>an institution</td><td>where knowledge is produced and passed on to others.</td></tr>
<tr><td colspan="2">知が生産され、他の人々に伝達される機関である。</td></tr>
<tr><td rowspan="2">Social economics may be defined as
社会経済学〔は／とは／というのは〕、</td><td>the branch of economics</td><td>[which is] concerned with the measurement, causes, and consequences of social problems.</td></tr>
<tr><td colspan="2">社会問題の測定、原因、帰結にかかわるような経済学の一部門だと定義できる。</td></tr>
</table>

Research may be defined as 研究(は/とは/というのは)、	a systematic process	which consists of three elements or components: (1) a question, problem, or hypothesis, (2) data, and (3) analysis and interpretation of data.
	(1)疑問、問題、仮説、(2)データ、(3)データの分析と解釈の3要素または3構成要素からなる体系的過程として定義できる。	
Education is 教育(は/とは/というのは)、	a form of learning	in which the knowledge, skills, or values of a group of people are transferred from one generation to the next.
	一群の人々の知、技能、価値観が、ある世代から次の世代へと受け継がれるような形態の学習である。	
A scientific theory can be defined as 科学理論(は/とは/というのは)、	an explanation of some aspect of the natural world	[which has been] confirmed by observation or experiment.
	観察または実験によって確認された、自然界のある側面をめぐる説明として定義できる。	
Braille is 点字(は/とは/というのは)、	a system	of touch reading and writing for blind people in which raised dots on paper represent the letters of the alphabet.
	触れることで読んだり書いたりする視覚障がい者用のシステムで、紙の盛り上がった点でアルファベットが表される。	
Science is 科学(は/とは/というのは)、	the systematic study of	the structure and behavior of the physical and natural world through observation and experiment.
	観察や実験を通じて物質界や自然界の構造や挙動を体系的に研究する営みである。	

特定の用語の一般的な意味やその広がりについて説明する

X can broadly be defined as ...	Xは、…であるとして広く定義できる。
X can be loosely described as ...	Xは、…であるとしておおざっぱに説明できる。
X can be defined as .... It encompasses ...	Xは…であるとして定義できる。この定義は、…を包含している。
In the literature, the term tends to be used to refer to ...	文献では、この用語は、…について述べるために使われる傾向がある。
In broad terms, X can be defined as any stimulus that is ...	広義では、Xは、…であるような任意の刺激として定義できる。
Whereas X refers to the operations of ..., Y refers to the ...	Xが…のオペレーションのことをいうのに対し、Yは…のことをいう。
The broad use of the term 'X' is sometimes equated with ...	用語「X」の広義の用法は、…と同等視されることがある。

The term 'disease' refers to a biological event characterized by ...	「病気」という用語は、…を特徴とするような生物学的事象のことをいう。
Defined as X, obesity is now considered a worldwide epidemic and is associated with ...	Xであると定義される肥満は、現在では、世界的な流行病であると考えられ、また、…と関係づけられている。

The term 'X' 「X」という用語は、	refers to ... …のことをいう。 encompasses A), B), and C). A)、B)、C)を包含している。 has come to be used to refer to ... …について述べる際に使用されるようになった。 is generally understood to mean ... 一般に、…を意味するものと理解されている。 carries certain connotations in some types of ... ある種の…では、特定の含意を有している。 has been used to refer to situations in which ... …であるような状況をいうのに使用されてきた。 is a relatively new name for a Y, commonly referred to as ... Yについての比較的新しい名称で、一般には…と称されている。

X is a Xというのは、	broad generic common umbrella non-specific relatively new	term	that refers to ... used to describe ... which encompasses ... covering a wide range of ...
	[…のことをいう／…について説明するのに使用する／…を包含する／広範囲の…をカバーする][幅広い／総称用の／一般的／包括的／非特異的／相対的に新しい]用語だ。		

特定の用語の定義が変化してきた経緯を説明する

The definition of X has evolved.	Xの定義は進化してきた。
There are multiple definitions of X.	Xには複数の定義がある。
Several definitions of X have been proposed.	Xについては、いくつかの定義が提案されている。
In the field of X, various definitions of X are found.	X分野では、Xについて各種の定義が見られる。
The term 'X' embodies a multitude of concepts which ...	用語「X」は、…であるような多数の概念を体現している。
This term has two overlapping, even slightly confusing meanings.	この用語には、互いに重複し、しかも少々紛らわしい意味が2つある。

Widely varying definitions of X have emerged (Smith and Jones, 1999).	Xについては、大きく異なる定義複数が出現している(Smith and Jones, 1999)。
Despite its common usage, X is used in different disciplines to mean different things.	Xはごく普通に使われるが、分野が異なると、別の意味になる。
Since the definition of X varies among researchers, it is important to clarify how the term is used in ...	Xの定義は研究者によってまちまちなので、この用語が…においてどのように用いられているのかを明瞭にすることが大切だ。

The meaning of this term この用語の意味は、	has evolved. 進化してきた。 has varied over time. 時間を経て変化している。 has been extended to refer to ... 拡張され、…まで含むようになっている。 has been broadened in recent years. 近年拡張されてきている。 has not been consistent throughout ... …を通じて一定というわけではなかった。 has changed somewhat from its original definition, particularly in ... もとの定義から多少変化してきており、…では特にそうだ。

特定の用語の定義しにくさを説明する

X is a contested term.	Xは問題の多い用語だ。
X is a rather nebulous term ...	Xは、かなり不明瞭な用語であり…
X is challenging to define because ...	Xは、…という理由で定義が難しい。
A precise definition of X has proved elusive.	Xを詳しく定義しようとしてみたが、要領を得なかった。
A generally accepted definition of X is lacking.	Xには、一般に受け入れられた定義はない。
Unfortunately, X remains a poorly defined term.	残念ながら、Xは定義不十分な用語のままだ。
There is no agreed definition on what constitutes ...	何が…を構成しているのかについて意見の一致をみた定義はない。
There is little consensus about what X actually means.	Xが何を実際に意味するのかについては、コンセンサスがほとんどない。
There is a degree of uncertainty around the terminology in ...	…での用語法には不確実さがつきまとっている。
These terms are often used interchangeably and without precision.	これらの用語は、互換的かつ精密さを欠いたかたちで使用されることが多い。

Numerous terms are used to describe X, the most common of which are ...	Xを説明するために数多くの用語が使われてきており、そのうち最も一般的なのが、…だ。
The definition of X varies in the literature and there is terminological confusion.	Xの定義は文献によって異なり、用語の混乱が生じている。
Smith (2001) identified four abilities that might be subsumed under the term 'X': a) ...	Smith (2001) は、用語「X」で包含される可能性のある能力4つを特定した。すなわち、a)…
'X' is a term frequently used in the literature, but to date there is no consensus about ...	「X」は、文献でよく使用される用語だが、今日にいたるまで…についてのコンセンサスはない。
X is a commonly-used notion in psychology and yet it is a concept difficult to define precisely.	Xというのは、心理学では一般的に使用される概念だが、それにもかかわらず、正確に定義するのが難しい概念だ。
Although differences of opinion still exist, there appears to be some agreement that X refers to ...	見解の相違はまだ残っているものの、Xとは…のことだという多少の合意は得られたようだ。

The meaning of this term この用語の意味は、	has been disputed. 論争の対象となってきた。 has been debated ever since ... …以来ずっと議論されてきている。 has been notoriously hard to define. 定義しにくいことで悪名が高い。 has been an object of major disagreement in ... …で、意見が大きく分かれた点のひとつであった。 has been a matter of ongoing discussion among ... …で、議論の的でありつづけてきた。

他の執筆者による定義に言及する（その人物を強調）

For Smith (2001), X means ...	Smith (2001) にとって、Xとは…を意味するものだ。
Smith (2001) uses the term 'X' to refer to ...	Smith (2001) は、…に言及する目的で用語「X」を用いている。
Smith (1954) was apparently the first to use the term ...	Smith (1954) が、この用語をはじめて使用したようであり、…
In 1987, psychologist John Smith popularized the term 'X' to describe ...	1987年に、心理学者のJohn Smithが、…を記述するために用語「X」を普及させた。
According to a definition provided by Smith (2001: 23), X is 'the maximally ...	Smith (2001: 23) の定義によると、Xは、「最大限に…」である。
This definition is close to those of Smith (2012) and Jones (2013) who define X as ...	この定義は、Xを…であると定義するSmith (2012) とJones (2013) の定義に近い。

Smith has shown that, as late as 1920, Jones was using the term 'X' to refer to particular ...	Smithは、Jonesが、1920年になっても、特定の…に言及するのに用語「X」を使用していたことを示した。
One of the first people to define nursing was Florence Nightingale (1860), who wrote: '...'	看護について定義した最初のひとりがフローレンス・ナイチンゲール(1860)で、ナイチンゲールは「…」と書いたのだった。
Chomsky writes that a grammar is a 'device of some sort for producing the ...' (1957, p. 11).	チョムスキーは、文法とは「…を生成するためのある種の装置」だと書いている(1957, p. 11)。
Aristotle defines the imagination as 'the movement which results upon an actual sensation.'	アリストテレスは、想像について、「現実的な感覚によって生じる運動」だと定義している。
Smith *et al.* (2002) have provided a new definition of health: 'health is a state of being with ...	Smithら(2002)は、健康についての新たな定義として、「健康とは、…を有する状態である」を提案した。

他の執筆者による定義に言及する(その人物を強調しない)

X is defined by Smith (2003: 119) as '...'	Xは、Smithによって「…」であると定義されている(Smith, 2003: 119)。
The term 'X' was introduced by Smith in her ...	用語「X」は、Smithによって、彼女の…で導入された。
The term 'X' is used by Smith (2001) to refer to ...	用語「X」は、Smithによって、…について述べるために使用されている(Smith, 2001)。
X is, for Smith (2012), the situation which occurs when ...	Xは、Smith(2012)にとっては、…であるときに生じるような状況のことだ。
A further definition is given by Smith (1982) who describes ...	さらなる定義が、…を記述したSmithによって与えられている(Smith, 1982)。
A similar definition has been proposed by Smith *et al.* (1998), who have argued that ...	似た定義が、…であると論じたSmithらによって提案されている(Smithら, 1998)。
The term 'X' is used by Aristotle in four overlapping senses. First, it is the underlying ...	用語「X」は、アリストテレスによって互いに重複する4つの意味で使われている。第一に、Xは、基礎をなすような…である。
X is the degree to which an assessment process or device measures ... (Smith *et al.*, 1986).	Xとは、評価プロセスや機器類によって測定される度合いのことであり…(Smithら, 1986)。

特定の用語の定義についてコメントする

This definition この定義は、	includes ...　…を包含している。 allows for ...　…も許容する。 highlights the ...　…に重きを置いている。 helps distinguish ...　…を区別しやすくする。 takes into account ...　…を考慮している。 poses a problem for ...　…に問題を投げかけている。 will continue to evolve.　進化しつづけるだろう。 can vary depending on ...　…に応じて変化する場合もある。 was agreed upon after ...　…後に意見の一致をみたものだ。 is intended primarily for ...　まずは…を念頭に置いている。 has largely fallen out of use.　すでにほとんど使われていない。 has been broadened to include ...　…まで含まれるよう拡張されている。 captures a number of important features of ... …の重要な特徴をいくつも捉えている。

The following definition is 以下の定義は、	intended to ...　…を意図したものだ。 modeled on ...　…をモデルとしたものだ。 too simplistic.　あまりに単純すぎる。 useful because ...　…という理由で有用だ。 problematic as ...　…としては問題がある。 rather imprecise.　幾分不正確だ。 inadequate since ...　…という理由で不適切だ。 in need of revision since ...　…という理由で改訂が必要だ。 important for what it excludes.　何を除外しているかという点で重要だ。 the most precise produced so far. これまで作成されたもののうちで最も厳密だ。

<table>
<tr>
<td>What is</td>
<td>useful
striking
notable
troubling
appealing
significant
important
distinctive
interesting
remarkable</td>
<td>about this definition is</td>
<td rowspan="2">that it offers ...
この定義が…を提供しているということだ。
that it stresses ...
この定義では…が強調されて〜
the emphasis on ...
…が強調されて〜
that it recognizes ...
この定義では…が認められて〜
that it is based on ...
この定義が…に基礎を置いて〜
that it clearly links ...
この定義が明確に…をつないで〜
that it acknowledges ...
この定義では…が了解されて〜
that it encompasses all ...
この定義が…をすべて包含して〜
that it takes for granted ...
この定義では…が当然とされて〜
what it does not include ...
この定義では含まれていない事柄であり、…</td>
</tr>
<tr>
<td colspan="3">この定義で［有用な／印象的な／顕著な／問題な／魅力的な／有意義な／重要な／独特な／興味深い／特筆すべきな］のは、</td>
</tr>
</table>

学位論文や小論文で使用される用語について説明する

The term 'X' is used here to refer to ...	「X」という用語は、ここでは…について述べるべく使用されている。
In the present study, X is defined as ...	この研究では、Xは…であるとして定義されている。
The term 'X' will be used solely when referring to ...	用語「X」は、…について述べる際に単独で使用することになる。
In this essay, the term 'X' will be used in its broadest sense to refer to all ...	この小論では、用語「X」は、すべての…について述べるべく特段に広い意味で用いることになる。
In this paper, the term that will be used to describe this phenomenon is 'X.'	この論文では、この現象を記載する際に用いる用語は「X」だ。
In this dissertation, the terms 'X' and 'Y' are used interchangeably to mean ...	この学位論文では、用語「X」と「Y」は、…の意味で互換的に用いる。
Throughout this thesis, the term 'X' is used to refer to informal systems as well as ...	この学位論文全体を通して、用語「X」は、…だけでなく非公式な体系について述べる際にも用いる。
While a variety of definitions of the term 'X' have been suggested, this paper will use the definition first suggested by Smith (1968) who saw it as ...	用語「X」については各種の定義が提案されてきたが、この論文では、Xを…であると見なしたSmithによって最初に提案された定義を用いることとする（Smith, 1968）。

第12章 傾向や予測について説明する表現

傾向というのは、時間の経過とともに何かが展開したり変化したりしている場合の全体的な方向性のことだ。予測というのは、今後生じうる変化について予想した内容のことだ。傾向や予測は、通常、横軸を時間軸にした折れ線グラフで示される。

以下に、傾向や予測について述べる際によく使われる表現を挙げておく。

傾向について述べる

The graph shows that there has been a グラフからは、…の数が Figure 2 reveals that there has been a 図2からは、…の数が	slight わずかに steep 急勾配で sharp 急峻に steady 定常的に gradual 徐々に marked 著しく	fall 下降していることがわかる。 rise 上昇〜 drop 下落〜 decline 下降〜 increase 増加〜 decrease 減少〜	in the number of ...

図や表中の極大点や極小点について述べる

Oil production peaked in 1985.	石油生産は、1985年がピークだった。
The peak age for committing a crime is 18.	罪を犯す年齢のピークは18歳だ。
The number of Xs reached a peak during ...	Xの数は、…の間にピークに達した。
Gas production reached a (new) low in 1990.	ガスの生産は、1990年に最低（過去最低）を更新した。

傾向を予測する

<table>
<tr><td rowspan="2">The rate of Z
Zの比率は、

The amount of Y
Yの量は、

The number of Xs
Xの数は、</td><td>is likely to
will probably
is expected to
is projected to</td><td>fall
increase
level off
drop sharply
remain steady
decline steadily</td><td>after 2050.</td></tr>
<tr><td colspan="3">2050年をすぎると、〔下降／増加／安定／急激に下降／定常状態のまま推移／じわじわ下降〕する〔だろう／に違いない／ことが予想される／ことが推測される〕。</td></tr>
</table>

図や表中のデータを強調する

<table>
<tr><td>What is striking

What stands out

What can be clearly seen</td><td>in this</td><td>table

chart

figure</td><td rowspan="2">is the growth of ...
…の成長である。
is the high rate of ...
…の率の高さである。
is the dominance of ...
…が優勢なことである。
is the rapid decrease in ...
…の急激な低下である。
is the steady decline of ...
…が低下しつづけていることである。
is the general pattern of ...
…の一般的なパターンである。
is the difference between ...
…同士の違いである。</td></tr>
<tr><td colspan="3">この〔表／チャート／図〕で〔顕著な／目立つ／はっきりわかる〕のは、</td></tr>
</table>

第13章 量の記述に用いる表現

量について説明する際の表現は、英語が母語ではない人には煩雑に感じられるのではなかろうか。前置詞や代名詞のような短い機能語（文法的機能を果たす単語）の組み合わせが山ほどあって、混乱しやすいからだ。以下に挙げた表現には、nearly、approximately、over half、less than、just overといった「近似」の表現が含まれるものも多い。

分数やパーセントを示す

Nearly half of the respondents (48%) agreed that ...	回答者の半数近く（48%）が、…に同意した。
Approximately half of those surveyed did not comment on ...	調査した約半数は、…にコメントしなかった。
Of the 270 participants, nearly one-third did not agree about ...	270名の参加者のうち、3分の1近くは、…に同意しなかった。
Less than a third of those who responded (32%) indicated that ...	回答者の3分の1未満（32%）が、…を示唆した。
The number of first marriages in the United Kingdom fell by nearly two-fifths.	英国の初婚数は、5分の2近く減った。
Of the 148 patients who completed the questionnaire, just over half indicated that ...	質問票に全問回答した患者148名のうち、半数をわずかに超える患者が…を示唆した。

The incidence of X has been estimated as 10% ...	Xの発生率は10%であると推測され、…
70% of those who were interviewed indicated that ...	インタビューを受けた人の70%が、…を示唆した。
Since 1981, England has experienced an 89% increase in crime.	1981年以来、イングランドは89%の犯罪増大を経験した。
The response rate was 60% at six months and 56% at 12 months.	回答率は6ヶ月時点で60%、12ヶ月時点で56%であった。
Returned surveys from 34 radiologists yielded a 34% response rate.	調査書が放射線科医34名から戻ってきて、回答率は34%になった。
He also noted that fewer than 10% of the articles included in his study cited ...	彼は、自身の研究に含まれる論文の10%未満が…を引用していることについても記述した。
With each year of advancing age, the probability of having X increased by 9.6% ($p = 0.006$).	年齢が1歳上がるごとに、Xを有する可能性が9.6%上昇した（p=0.006）。

The mean income of the bottom 20 percent of U.S. families declined from $10,716 in 1970 to ...	米国家庭の最下層20%の平均収入は1970年の10,716ドルから…まで落ちこんでおり、…

<table>
<tr><td>Well over
Many more than
More than
Just over</td><td>half
a third
a quarter</td><td rowspan="2">of those surveyed

of the respondents

of those who responded</td><td rowspan="3">agreed that ...
…であることに同意した。

indicated that ...
…であることを示唆した。

did not respond to this question.
この質問に回答しなかった。</td></tr>
<tr><td>Around
Approximately
Almost

Just under
Fewer than
Well under</td><td>70%
50%
40%</td></tr>
<tr><td colspan="3">［調べた／回答者の／回答した人の］うち、［半分／3分の1／4分の1／／70%／50%／40%］［を十分上回る／をかなり上回る／を上回る／をわずかに上回る／／程度の／／をわずかに下回る／を下回る／をかなり下回る］人たちが</td></tr>
</table>

平均値を示す

The average of 12 observations in the X, Y and Z is 19.2 mgs/m ...	X、Y、Zでの観察12回の平均は19.2 mgs/mであり、…
Roman slaves probably had a lower than average life expectancy.	ローマの奴隷の平均余命は、おそらく平均より短かっただろう。
This figure can be seen as the average life expectancy at various ages.	この数字は、各年齢での平均余命として見ることができる。
The proposed model suggests a steep decline in mean life expectancy ...	提案されたモデルは、平均余命が急減していることを示唆しており、…
The mean age of Xs with coronary atherosclerosis was 48.3 ± 6.3 years.	冠動脈硬化を有するXの平均年齢は、48.3±6.3歳だった。
The mean estimated age at death was 38.1 ± 12.0 years (ranging from 10 to 60+ years).	死亡時の平均推測年齢は38.1±12.0歳だった（範囲：10歳〜60歳以上）。
The mean income of the bottom 20 percent of U.S. families declined from $10,716 in 1970 to ...	米国家庭の最下層20%の平均収入は1970年の10,716ドルから…まで落ちこんでおり、…
The mean score for the two trials was subjected to multivariate analysis of variance to determine ...	2治験の平均スコアを多変量分散分析にかけて、…を判定した。

Roman slaves probably had a ローマの奴隷の平均余命は、	much lower than average life expectancy. 平均よりずっと短かっただろう。
The Roman nobility probably had a ローマの貴族の平均余命は、	much higher than average life expectancy. 平均よりずっと長かっただろう。

範囲を示す

The respondents had practiced for an average of 15 years (range 6 to 35 years).	回答者の開業歴は、平均15年だった（範囲：6年〜35年）。
The participants were aged 19 to 25 and were from both rural and urban backgrounds.	参加者は、年齢19〜25歳で、非都市域居住者と都市域居住者の両方であった。
They calculated ranges of journal use from 10.7%–36.4% for the humanities, 25%–57% for ...	彼らは、雑誌利用の範囲が、人文科学については10.7%〜36.4%、…については25%〜57%であるものと計算した。
The evidence shows that life expectancy from birth lies in the range of twenty to thirty years.	エビデンスからは、出生時の平均余命が20年から30年の範囲であることがわかる。
The mean income of the bottom 20 percent of U.S. families declined from $10,716 to $9,833.	米国家庭の最下層20%の平均収入は、10,716ドルから9,833ドルまで落ちこんだ。
Rates of decline ranged from 2.71–0.08 cm per day (Table 11) with a mean of 0.97 cm per day.	減少速度は1日あたり2.71〜0.08cmの範囲で（表11）、平均は1日あたり0.97cmだった。
Most estimates of X range from 200,000 to 700,000 and, in some cases, up to a million or more.	Xの推定値は、大半が200,000〜700,000だが、100万前後になるものもある。
At between 575 and 590 meters depth, the sea floor is extremely flat, with an average slope of ...	深さ575〜590メートルでは、海底は極めて平坦で、傾斜の平均は…である。

比や割合を示す

Singapore has the highest proportion of millionaire households.	シンガポールは、富豪世帯の割合が最も高い。
The annual birth rate dropped from 44.4 to 38.6 per 1000 per annum.	年間出生率が、年千人あたり44.4から38.6まで落ちこんだ。
East Anglia had the lowest proportion of lone parents at only 14 percent.	イーストアングリアは、ひとり親の割合が最低の14%だった。
The proportion of live births outside marriage reached *one in ten* in 1945.	婚外生児出生割合は、1945年には10人にひとりに達した。

The proportion of the population attending emergency departments was 65% higher in X than ...	救急部門を受診する人口割合は、Xでは…より65%高かった。

第14章 因果関係の説明に用いる表現

学術研究には、問題を理解し、その問題に対する解決策を提案する作業がついてまわる。

大学院レベル、特に応用分野の大学院レベルの場合、学生自身が研究対象となる問題を見つけてくるのが通例であり、実際、学術活動の相当部分にとって「問題」こそが生の材料となっている。

しかし、問題全体を検討しない限り、解決策は提案しようがないし、解決策を提案するには、問題の原因を十分に理解しておく必要がある。

以下に、原因やその原因が及ぼす影響について説明する際に使える表現を示しておく。

因果関係の存在を示す動詞

Lack of iron in the diet 食事中の鉄分が不足すると、	may cause can lead to can result in can give rise to	tiredness and fatigue. 疲れや疲労感〔を生じかねない。／に至りかねない。／を招きかねない。／を生じかねない。〕

Scurvy is a disease 壊血病は、	caused by resulting from stemming from	lack of vitamin C. ビタミンC不足〔によって引き起こされる病気だ。／によって生じる病気だ。／不足に由来する病気だ。〕

Much of the instability in X Xの不安定状態は、おおむね、	is driven by stems from is caused by can be attributed to	the economic effects of the war. 戦争の経済的影響〔で生じたものだ。／に由来するものだ。／で生じたものだ。／のせいだ。〕

因果関係の存在を示す名詞

One *reason* why Xs have declined is that ...
　Xが減少した理由のひとつは、…だ。
A *consequence* of vitamin A deficiency is blindness.
　ビタミンA欠乏の結果には、失明もある。
X can have profound health *consequences* for older people.
　Xは、高齢者に深刻な健康問題を生じる可能性がある。
The most likely *causes* of X are poor diet and lack of exercise.
　Xの原因として最もありそうなのは、貧しい食事と運動不足だ。
The *causes* of X have been the subject of intense debate within ...
　Xの原因は、…内で激しい議論の対象となってきた。

因果関係の存在を示す前置詞句

Around 200,000 people per year become deaf 毎年約200,000人が、	owing to because of as a result of as a consequence of	a lack of iodine.
	ヨウ素不足の〔ために／せいで／結果／結果として〕聴力を失う。	

因果関係の存在を示す（文と文をつなぐ）接続表現

If undernourished children do survive to become adults, they have decreased learning ability. 栄養不良の子どもたちが生き延びて大人になったとしても、彼らの学習能力は低い。	Therefore, したがって、 Consequently, その結果、 Because of this, そのために、 As a result (of this), （このことの）結果、	when they grow up, it will probably be difficult for them to find work. 成長後に彼らが仕事を見つけるのは困難な可能性が高い。

因果関係の存在を示す副詞や副詞句

Malnutrition leads to illness and a reduced ability to work in adulthood, 栄養失調は、成人での病気や労働能力減退を生じ、	thus その結果、	perpetuating the poverty cycle. 貧困サイクルがずっと続いていく。
The warm air rises above the surface of the sea, 暖かい空気は海面から上昇し、	thereby そのことによって、	creating an area of low pressure. 気圧の低い領域が生じる。

関与の存在を示す名詞

Extreme loneliness is a risk *factor* for X.	極端な孤独は、Xを引き起こす危険因子だ。
X and Y are important driving *factors* of Z.	XとYは、Zを推進する重要な要因だ。

X is almost as strong a risk *factor* for disability as Y.	Xは、障害の危険因子ということではYと同じくらい強力だ。
X is generally seen as a *factor* strongly related to Y.	Xは一般に、Yとの関連性の高い要因だと見なされている。
This work has revealed several *factors* that are responsible for ...	この研究では、…の要因がいくつか明らかになった。
The study found that loneliness has twice the *impact* on early death as obesity does.	この研究では、若くしての死に関しては、孤独が肥満の倍も影響することがわかった。

X is a key *factor* in ...	Xは、…の主要な要因だ。
X is a major *influence* on ...	Xは、…に対する主要な影響のひとつだ。
X has a positive *effect* on ...	Xは、…に対してポジティブな影響がある。
X has a significant *impact* on ...	Xは、…に対して有意なインパクトがある。
X is an important *determinant* of ...	Xは、…についての重要な決定要因だ。

X is a/an Xは、…（での／の）	risk 危険因子だ。 common 共通の要因だ。 dominant 支配的な要因だ。 predictive 予測因子だ。 important 重要な要因だ。 significant 有意な要因だ。 underlying 背後にある要因だ。 contributing 原因となる要因だ。 confounding 交絡因子だ。 complicating 複雑化要因だ。	factor	in ... for ...

関与の存在を示す動詞

X has *contributed* to the decline in ...	Xは、…の下降の原因となった。
It is now understood that X *plays an* important *role* in ...	今日では、Xが…で重要な役割を果たすことがわかっている。
A number of factors *play a role* in determining the effects of ...	…の影響が決まる過程では、いくつもの要因が寄与する。
The mixing of X and Y *exerts* a powerful *effect* upon Z through ...	XとYを混合すると、…を介してZに対して強い影響が及ぶ。
Recent research has revealed that X *has a* detrimental *effect* on ...	最近の研究で、Xが…に対して好ましからざる影響を及ぼすことがわかった。

A number of factors are known to *affect* the volume and type of ...	…の量と種類に対しては、いくつもの要因が影響することが知られている。
All these factors can *impact* on the efficiency and effectiveness of ...	これらの要因のいずれもが、…の効率と有効性に影響しうるものだ。
X is only one of many factors that help to *determine* the quality of ...	Xは、…の質を判定するうえで有用な多くの要因のうちのひとつにすぎない。

Several factors are known to いくつかの要因	affect X.　がXに影響することが知られている。 shape X.　がXをかたちづくっている〜 predict X.　によってXが予測できる〜 increase X.　がXを上昇させる〜 influence X.　がXに影響する〜 determine X.　がXを決定する〜 affect the rate of ...　が…の率に影響する〜 be associated with ...　が…と関連している〜 increase the risk of ...　が…の危険性を上昇させる〜 be partially responsible for ...　によって…が部分的に決まる〜 play a role in determining X.　がXの決定に関与している〜

Contributory agency 促進する方向の関与	Preventative agency 抑制する方向の関与
aid　助ける fuel　刺激する／激化させる assist　助ける boost　増加させる foster　促進する enable　実現する amplify　増大させる facilitate　助長する promote　促進する intensify　強める speed up　加速する stimulate　刺激する aggravate　悪化させる accelerate　加速する encourage　促進する exacerbate　激化させる	block　防ぐ deter　妨げる delay　遅らせる shrink　縮小させる impair　減じる inhibit　妨げる hinder　妨げる reduce　減らす control　制御する weaken　弱める impede　妨げる prevent　防止する obstruct　妨害する decrease　減らす moderate　緩和する counteract　抑制する

原因解明のプロセスを示す動詞

Few studies わずかな研究で、* Many studies 多くの研究で、 Previous studies 従来の研究で	have	analyzed explored described examined addressed investigated	the causes of X.
		Xの原因が〔解析／探究／記述／吟味／対処／研究〕されている。	

＊訳注：ほとんど研究されていないという意味。

可能性のある因果関係を示唆する

X might be attributed to ...	Xは、…のせいかもしれない。
X may be associated with ...	Xは、…と関連している可能性がある。
One reason for this difference may be ...	この違いが生じた理由のひとつは、…かもしれない。
There is some evidence that X may affect Y.	XがYに影響している可能性を示すエビデンスがいくつかある。
In the literature, X has been associated with Y.	文献では、XはYと関連づけられている。
It is not yet clear whether X is made worse by Y.	XがYによって悪化するのかどうかは、まだ明らかになっていない。
The findings indicate that regular exercise could improve ...	得られた知見は、定期的に運動することで…を改善できる可能性を示唆している。
A high consumption of X could be associated with infertility.	Xの消費の多さが、不妊と関連している可能性がある。
X in many cases may be associated with certain bacterial infections.	Xは、多くの場合、特定の細菌感染症と関連している可能性がある。
X appears to be linked to ...	Xは、…と関連しているようだ。
This suggests a weak link may exist between X and Y.	このことは、XとYの間に弱いつながりがありうることを示している。
The use of X may be linked to behavior problems in ...	Xの使用は、…での行動上の問題とつながっている可能性がある。
The human papilloma virus is linked to most cervical cancer.	ヒトパピローマウイルスは、子宮頸がんの大半と関係している。

可能性のある過去の原因を示唆する

<table>
<tr><td rowspan="7">X may have
Xは、</td><td>caused Y.
Yの原因となったかもしれない。</td></tr>
<tr><td>given rise to Y.
Yを引き起こしたかもしれない。</td></tr>
<tr><td>brought about Y.
Yを生じさせたかもしれない。</td></tr>
<tr><td>been an important factor in Y.
Yにとって重要な要因だったかもしれない。</td></tr>
<tr><td>contributed to the increase in Y.
Yの増大に寄与したかもしれない。</td></tr>
<tr><td>been caused by an increase in Y.
Yの増大が原因で生じたのかもしれない。</td></tr>
<tr><td>played a vital role in bringing about Y.
Yが生じる際に重大な役割を果たしたかもしれない。</td></tr>
</table>

<table>
<tr><td rowspan="4">X may have been
Xは、</td><td>due to Y. Yのせいだったかもしれない。</td></tr>
<tr><td>caused by Y. Yによって引き起こされたのかもしれない。</td></tr>
<tr><td>attributed to Y. Yに起因するのかもしれない。</td></tr>
<tr><td>brought about by Y. Yによって生じたのかもしれない。</td></tr>
</table>

第15章 主張を裏づける例を挙げる際の表現

執筆者は、自らの主張（一般論や総論）を裏づけるための根拠として具体例を挙げることがある。

具体例があると、読み手や聞き手は、なじみが薄い概念や難しい概念でも理解しやすくなるし、そうした概念を記憶するのも楽になる。具体例が教育現場で多用されるのは、このためだ。学生の場合、複雑な問題や概念を理解できていることを、文中に具体例を挙げることで示すよう求められるケースもある。

記述した内容が具体例で裏づけられている場合でも、そのことを明確に示す表現が使用されるとは限らない点にも留意が必要だ。

文の主要な情報として例を挙げる

A classic 古典的な A useful 有用な A notable 注目すべき An important 重要な A prominent 顕著な A well-known 周知の	example of X is ... Xの例に、…がある。

For example, the word 'doctor' used to mean a 'learned man.'	例を挙げると、「doctor」という単語は、以前は「学識のある人」のことを意味していた。
For example, Smith and Jones (2004) conducted a series of semi-structured interviews in ...	たとえば、SmithとJonesは、一連の半構造化されたインタビューを…で実施した（Smith and Jones, 2004）。
Young people begin smoking for a variety of reasons. They may, for example, be influenced by ...	若者が喫煙しはじめる理由はさまざまだ。たとえば、彼らは…の影響を受けることもある。
Another example of what is meant by X is ...	Xが何を意味するかの例としては、…もある。
This is exemplified in the work undertaken by ...	このことは、…が実施した研究で例証されている。
This distinction is further exemplified in studies using ...	この区別は、…を用いた研究の数々でさらに例証されている。
An example of this is the study carried out by Smith (2004) in which ...	このことの例が、…を実施したSmithによる研究である（Smith, 2004）。
The effectiveness of the X technique has been exemplified in a report by Smith *et al.* (2010).	X法の有効性は、Smithらの報告で例示されている（Smithら, 2010）。
This is evident in the case of ...	このことは、…の事例で明らかだ。

This is certainly true in the case of ...	このことは、…の事例では間違いなく本当だ。
The evidence of X can be clearly seen in the case of ...	Xの根拠は、…の事例にはっきり見てとれる。
In a similar case in America, Smith (1992) identified ...	アメリカでの似た事例で、Smith(1992)が…を特定した。
This can be seen in the case of the two London physics laboratories which ...	このことは、…を行っているロンドンの物理実験施設2箇所の事例に見ることができる。
X is a good illustration of ...	Xは、…をよく例示している。
X illustrates this point clearly.	Xは、この点を明瞭に例証している。
This can be illustrated briefly by ...	このことは、…によって簡潔に例示できる。
By way of illustration, Smith (2003) shows how the data for ...	Smith(2003)は、例として、…についてのデータがいかに…かを示している。
These experiments illustrate that X and Y have distinct functions in ...	これらの実験は、XとYが…では別の機能を有することを例示している。

文の追加的な情報として例を挙げる

Young people begin smoking for a variety of reasons, such as pressure from peers or ...	若者は、各種の理由、たとえば周囲からの圧力や…といった理由で喫煙を開始する。
The prices of resources, such as copper, iron ore, and aluminum, have declined over ...	資源の価格、たとえば銅、鉄鉱石、アルミニウムの価格は、…にわたって下落してきた。
Many diseases can result at least in part from stress, including: arthritis, asthma, and migraine.	多くの疾患が、少なくとも部分的にはストレスの結果として生じうる。関節炎にしても、喘息にしても、片頭痛にしてもそうだ。
Gassendi kept in close contact with many other scholars, such as Kepler, Galileo, Descartes, and ...	Gassendiは、多くの学者たち、たとえばKepler、Galileo、Descartes、…などと親しい関係を保っていた。
Pavlov found that if some other stimulus, for example the ringing of a bell, preceded the food, the ...	Pavlovは、食事の前に、何か別の刺激、たとえばベルの音のような刺激が与えられた場合には、…ということを見出した。

裏づけとなる事例を報告する

This case has shown that ...	この事例は、…を示すものだ。
This has been seen in the case of ...	このことは、…の事例で見られた。
The case reported here illustrates the ...	ここで報告された事例は、…を例示するものだ。

Overall, these cases support the view that ...
総じて、これらの事例は…という見解を裏づけるものだ。

This case study confirms the importance of ...
この事例研究は、…の重要性を確認するものだ。

The evidence presented thus far supports the idea that ...
以上で示したエビデンスは、…という発想を裏づけるものだ。

This case demonstrates the need for better strategies for ...
この事例からは、…に対するもっとよい方策が必要なことがわかる。

As this case very clearly demonstrates, it is important that ...
この事例ではっきり実証されているように、…ことが重要だ。

This case reveals the need for further investigation in patients with ...
この事例からは、…を有する患者でのさらなる調査が必要なことがわかる。

This case demonstrates how X used innovative marketing strategies in ...
この事例は、Xが…においていかに革新的なマーケティング戦略を用いたかを示している。

Recent cases reported by Smith *et al.* (2013) also support the hypothesis that ...
Smithら(2013)が報告した最近の事例も、…という仮説を裏づけるものだ。

In support of X, Y has been shown to induce Z in several cases (Smith *et al.*, 2001).
Xを裏づけるように、YがZを誘導することがいくつかの事例で示された(Smithら, 2001)。

This case この事例は、 These cases これらの事例は、	illustrate(s) demonstrate(s)	the need for ...　…の必要性を具体的に示している。 the dangers of ...　…の危険性～ the possibility of ...　…の可能性～ the necessity of ...　…の必要性～ the benefit of using ...　…を使用することの利点～ how important it is to ...　…することがいかに重要か～ what can happen when ...　…すると何が起こりうるのか～ the potential harm from ...　…によって生じうる有害事象～ the central role played by ...　…が果たす中心的な役割～ (some of) the problems caused by ... …によって生じる問題(の一部)～ (some of) the differences between ... …間の違い(の一部)～ (some of) the difficulties that arise when ... …が起きたときに生じる困難(の一部)～

第16章 次の話題に移る際の表現

研究論文や学位論文で、次に述べる内容を読者に対してあらかじめ見せておくのは、ドライバーに地図を見せるのに似ている。地図を見れば、ドライバーにも行き先がわかるからだ。

こうした予告部分が読者用の「道路地図」だと考えることは有用だ。そして、「道路地図」は、正確でありつつも、簡単に道筋を追えなければ困る。

論文の執筆者は、別の話題や、次のセクションに移るときは、そのことを読者に対してあらかじめ知らせておくことを期待されている。

こうした部分は、移行部分と呼ばれている。以下に、移行部分の例を、内容を予告する表現とともに示す（「学術的発表（プレゼンテーション）のスタイル」p.216も参照）。

次のセクションの内容をあらかじめ紹介する

The following is a brief description of ...	以下では、…について簡単に説明する。
In the section that follows, it will be argued that ...	次節では、…は…であると論じることになる。*
The problem of X is discussed in the following section.	Xの問題については、次節で論じるものだ。
A more detailed account of X is given in the following section.	Xについては、次節でさらに詳述することになる。
The structure and functions of X will be explained in the following section.	Xの構造と機能については、次節で説明することになる。
The following part of this paper moves on to describe in greater detail the ...	この論文の以下の部分では、…についてのさらなる詳細へと話を進める。

＊訳注：この例以下の5例では、論じる予定の内容が受動態を用いて紹介されている（日本語では対応内容を能動態を用いて記述できる点に注意）。

<table>
<tr><td>In the following</td><td>pages,
section,
paragraphs,</td><td rowspan="4">I</td><td rowspan="4">review ...　…をレビューする。
argue that ...　…であると議論する。
will describe how ...　どのように…かについて述べる。
will briefly discuss ...　…について手短に議論する。
will attempt to explore ...　…について探究してみたい。
will present two influential theories of ...
…についての有力な説2つを示す。</td></tr>
<tr><td colspan="2">以下の［ページ／節／段落］では、</td></tr>
<tr><td>In the section</td><td>below,
that follows,</td></tr>
<tr><td colspan="2">［以下／次］の節では、</td></tr>
</table>

The section below 以下の節では、 The following section 次節では、	reviews ...　…についてレビューする。 describes ...　…について説明する。 presents ...　…について提示する。 discusses ...　…について議論する。 examines ...　…について検討する。 draws together ...　…についてまとめる。

What follows is 以下は、	a review of ...　…についてのレビューである。 a summary of ...　…についての要約である。 an account of ...　…についての説明である。 a description of ...　…についての記述である。 a brief outline of ...　…についての簡単なまとめである。 a brief overview of ...　…についての簡単な概要である。

短報や章の内容をあらかじめ紹介する（「研究を紹介するための表現」p.16も参照）

In this paper, I discuss the strength and weakness of ...	この報告では、…の長所と弱点について論じることになる。
This paper has been divided into four parts. This first ...	この報告は4パートに分かれている。この最初のパートでは、…
In this chapter, I describe the data collection procedures and ...	この章では、データの収集方法と…について述べるものだ。
This chapter of the dissertation is divided into two parts. The first ...	学位論文のこの章は、2つのパートに分かれている。ひとつ目は、…
This part of the thesis discusses the findings which emerged from ...	学位論文のこの部分では、…から見えてきた知見について論じることになる。
The purpose of this chapter is to review the literature on X. It begins by ...	この章の目的は、Xについての文献を概括することにある。まずは、…
This introductory section provides a brief overview of ... It then goes on to ...	この導入部分では、…の簡単な概略を述べ、その後、…へと話を進めていく。
This chapter describes the methods used in this investigation. The first section ...	この章では、研究で使用した方法を記載する。第一節では、…
This chapter is divided into four main sections, each of which presents the results relating to ...	この章は4つの主要部分に分かれており、各部分では、…に関する結果を提示することになる。

新しいトピックや、トピックの新しい側面を書きはじめる

Regarding X, ...	Xについては、…
As regards X, ...	Xについては、…
In terms of X, ...	Xについては、…
In the case of X, ...	Xの場合は、…
With regard to X, ...	Xについては、…
With respect to X, ...	Xについては、…
On the question of X, ...	Xの問題については、…
As far as X is concerned, ...	Xに関する限り、…
Another important aspect of X is ...	Xのもうひとつの重要な側面は、…

トピックを再度書きはじめる

As discussed above, ...	上述したように、…
As explained earlier, ...	すでに説明したように、…
As previously stated, ...	すでに述べたように、…
As indicated previously ...	すでに示唆したように、…
As described on the previous page, ...	前ページで述べたように、…
As was mentioned in the previous chapter, ...	前章で言及したように、…
Returning (briefly) to the (subject/issue) of X, ...	Xという〔主題／問題〕に〔簡単に〕戻ると、…
As explained in the introduction, it is clear that ...	序論で説明したように、…であることは明らかだ。
As was pointed out in the introduction to this paper, ...	本論文の序論で指摘したように、…

次のセクションへと移動する

Turning now to ...	ここで、…の話に移ると、
Let us now turn to ...	ここで、…の話に移ろう。
Let us now consider ...	ここで、…について考えてみよう。

Moving on now to consider ...	ここで、…について考えてみると、
Turning now to the experimental evidence on ...	ここで、…についての実験によるエビデンスについて述べると、
Before proceeding to examine X, it is important to ...	Xの検討に進む前に、…しておくことが重要だ。
Before explaining these theories, it is necessary to ...	これらの説について説明する前に、…しておくことが必要だ。
Having defined what is meant by X, I will now move on to discuss ...	Xが何を意味するのかを定義したところで、次に、…について議論したい。
So far this paper has focused on X. The following section will discuss ...	ここまで、この論文ではXを中心に扱ってきた。以下の部分では、…について論じることになる。
This chapter has demonstrated that ... It is now necessary to explain the course of ...	この章では、…であることを示してきた。ここで、…の過程について説明しておかねばならない。
Having discussed how to construct X, the final section of this paper addresses ways of ...	どのようにXを構築するかについて議論したところで、この論文の最終部分では、…の方法について扱うことになる。
This section has analyzed the causes of X and has argued that ... The next part of this paper will ...	この節では、Xの原因について解析し、…であると論じた。この論文の次の部分では、…

付加的・対照的・対立的な内容になることを示唆しつつ次のセクションへと移動する

Another significant aspect of X is ...	Xの重要な側面として、もうひとつ、…がある。
In addition, it is important to ask ...	また、…と問うことも重要だ。
Unlike Smith, Jones (2014) has argued ...	Smithとは異なり、Jones(2014)は…であると論じている。
In contrast to Smith, Jones (2014) maintains ...	Smithとは異なり、Jones(2014)は、…と主張している。
Despite this, little progress has been made in the ...	このことにもかかわらず、…ではほとんど進展がない。
However, this system also has a number of serious drawbacks.	しかし、このシステムには、いくつかの深刻な欠点もある。
On the other hand, in spite of these recent findings about the role of ...,	一方、…の役割をめぐるこうした最近の知見にもかかわらず、

節や章をまとめる

Thus far, the thesis has argued that ...	ここまで、この学位論文では…であると論じてきた。
The previous section has shown that ...	前節では、…であることを示した。
To conclude this section, the literature identifies ...	この節を終えるにあたって、文献では…を特定している。

This section has reviewed the three key aspects of ...	本節では、…の主要な3側面についてレビューした。
In summary, it has been shown from this review that ...	まとめると、このレビューでは、…であることが示された。
This chapter has described the methods used in this investigation and it has ...	この章では、この研究で使用した方法を記載し、そして…
This section has attempted to provide a brief summary of the literature relating to ...	この節では、…に関する文献を簡潔にまとめようとしてきた。
This chapter began by describing X and arguing that ... It went on to suggest that the ...	この章は、Xについて述べ、…であると論じるところから開始した。そしてさらに、…であることを示してきた。
In this section, it has been explained that ... The chapter that follows moves on to consider the ...	この節では、…であると説明してきた。次章では、…について考える。

次章の内容をあらかじめ紹介する

The next chapter describes synthesis and evaluation of ...	次章では、…がいかに体系化され、評価されているのかについて述べる。
A summary of the main findings, together with ..., is provided in the next chapter.	次章で、主要な知見のまとめを、…とともに提供する。
The next chapter describes the procedures and methods used in this investigation ...	次章では、この研究で用いた手順と方法について説明し、…
In the next section, I will present the principal findings of the current investigation ...	次節では、この研究で得られた主要な知見について述べ、…
These analytical procedures and the results obtained from them are described in the next chapter.	次章では、これらの分析手順と、分析で得られた結果について説明する。

In the chapter that follows 次章では、	I	(briefly) (簡単に)	review ... …についてレビューする。 present ... …について提示する。 describe ... …について述べる。 examine ... …について検討する。 argue that ... …であると議論する。

			comment on ... …についてコメントする。 use the results obtained to discuss ... 得られた結果を用いて…について議論する。

The next chapter The chapter that follows 次章では、	moves on to consider ... …について考える。 provides an account of ... …について説明する。 presents a case study of ... …についての事例研究を示す。 establishes the framework for ... …のフレームワークを確定する。 reviews the literature related to ... …に関する文献を概括する。 explores the relationship between ... …間の関係について探る。 summarizes the main themes that emerged ... …で浮上した主要テーマをまとめる。

第17章 過去について述べる際の表現

過去に起こったことを英語で書くのは、時制の体系がかなり複雑なこともあって難しい。ともあれ、以下にグループ分けした表現の数々からは、学術的文章の執筆に際して主要な時制がどのように使われているのかについて、ヒントが得られるはずだ。

時制の使用について総合的に理解するには、きちんとした英文法の教科書を読んでおくのがよいだろう。まずは、Michael Swanの『Practical English Usage』(Oxford University Press)(研究社『オックスフォード実例現代英語用法辞典』)を挙げておく。

単純過去時制の使用 (過去の特定時点・時期に生じた完了済みの事項に言及する)

In 1933, 1933年に、 From 1933 to 1945, 1933年から1945年まで、 In the 1930s and 1940s, 1930年代と1940年代には、 During the Nazi period, ナチスの時代には、 Between 1933 and 1945, 1933年から1945年にかけて、	restrictions were placed on German academics. ドイツの学術界には数々の制限が加えられた。

For centuries, 何世紀にもわたって、 Throughout the 19th century, 19世紀の間じゅう、 At the start of the 19th century, 19世紀のはじめ、 In the latter half of the 19th century, 19世紀後半、 At the beginning of the 19th century, 19世紀のはじめ、 Toward the end of the 19th century, 19世紀の終わりにかけて、 In the early years of the 19th century, 19世紀はじめごろ、 At the end of the nineteenth century, 19世紀の終わりに、 In the second half of the 19th century, 19世紀後半、	authorities in X placed restrictions on academics. Xの当局は、学術界に制限をかけた。

In 1999, 1999年に、 Half a century later, 半世紀後、 Following World War I, 第一次世界大戦後、	Fleming actively searched for anti-bacterial agents. Flemingは抗生物質を精力的に探索した。 Fleming was named one of the *100 Most Important People* of the century. Flemingは、今世紀の最重要人物100人に挙げられた。

過去時制の構文の使用（研究の経緯を述べる）

The link between X and Y was established in 2000 by Smith *et al.*	XY間のつながりは、Smithらによって2000年に確立された。
Prior to the work of Smith (1983), the role of X was largely unknown.	Smithの研究（1983）まで、Xの役割はあまり知られていなかった。
Before 1950, the X had received only cursory attention from historians.	1950年まで、Xが歴史家からきちんと注目されることはなかった。
The construct of X was first articulated by Smith (1977) and popularized in his book: ...	Xの構成は、Smithによって最初に整理され（Smith, 1977）、彼の本、すなわち『…』で普及した。
It was not until the late 1960s that historians considered X worthy of scholarly attention.	歴史家が、Xについて学術的に注目する価値があると考えるようになったのは、1960年代後半になってからだ。
Awareness of X is not recent, having possibly first been described in the 5th century BCE by ...	Xが意識されるようになったのは近年のことではなく、…によって紀元前5世紀に記載されたのが最初かもしれない。
The next research period involved innovative laboratory work in the late 1960s into the 1970s.	次の研究期間には、1960年代後半から1970年代にかけての革新的な実験研究が含まれていた。

現在完了時制の使用（過去から現在まで継続中の状況に言及する）

To date, little evidence has been found associating X with Y.	現時点まで、XとYを関連づけるエビデンスはほとんど見つかっていない。
Up to now, the research has tended to focus on X rather than on Y.	これまで、研究では、YでなくXに注目しがちだった。
It is only since the work of Smith (2001) that the study of X has gained momentum.	Xの研究にはずみがついたのは、Smithの研究（2001）以降にすぎない。
So far, three factors have been identified as being potentially important: X, Y, and Z.	これまでのところ、重要かもしれない要因として3要因、すなわちX、Y、Zが特定されている。

Since 1965, these four economies have doubled their share of world production and trade.	1965年以来、これらの4つの経済圏は、世界での生産と貿易のシェアが2倍になった。
Until recently, there has been little interest in X.	最近まで、Xはほとんど関心を集めてこなかった。
Only in the past ten years have studies of X directly addressed how ...	Xの研究が、どのように…かについて直接取り組むようになったのは、この十年のことにすぎない。
Recently, these questions have been addressed by researchers in many fields.	最近、こうした問いに対して多くの分野の研究者が取り組むようになった。
In recent years, researchers have investigated a variety of approaches to X but ...	近年、研究者たちはXに対する各種のアプローチを研究してきたが、…
More recently, literature has emerged that offers contradictory findings about ...	最近、…に関して矛盾する知見を提示する文献が出てきている。
Over the past century there has been a dramatic increase in ...	ここ1世紀にわたって、…が劇的に増加してきた。
The past decade has seen the rapid development of X in many ...	この10年、多くの…でXの急激な展開が見られた。
Over the past 30 years there has been a significant increase in ...	この30年間、…の有意な増加が見られた。
Over the past two decades, major advances in molecular biology have allowed ...	この20年、分子生物学の多大な進歩にともなって、…が可能となった。
Over the past few decades, the world has seen the stunning transformation of X, Y and Z.	ここ何十年か、世界は、X、Y、Zの驚異的な変容を目にしてきた。

現在完了時制の使用（最近の研究・学術活動を説明する）

Several studies have revealed that ...	いくつかの研究によって、…であることが明らかになっている。
Previous studies of X have not dealt with ...	Xについてのこれまでの研究は、…を扱ってこなかった。
A considerable amount of literature has been published on X.	Xについては、相当量の文献が発表されている。
Invasive plants have been identified as major contributing factors for the decline of ...	…が減少した主因として、外来植物が特定されてきた。
The relationship between X and Y has been widely investigated (Smith, 1985; Jones, ...).	XとYの関係は広く調べられてきた（Smith, 1985; Jones, …）。
The new material has been shown to enhance cooling properties (Smith, 1985; Jones, 1987).	この新材料は、冷却特性を強化することが示されている（Smith, 1985; Jones, 1987）。

There have been several investigations into the causes of illiteracy (Smith, 1985; Jones, 1987).	非識字状態の原因については、いくつかの研究が実施されてきた（Smith, 1985; Jones, 1987）。

単純過去時制の使用（過去の特定の研究や公表事項を示す）

The first systematic study of X was reported by Smith *et al.* in 1986.	Xについての最初の体系的な研究は、Smithらによって1986年に報告された。
The first experimental realization of ..., by Smith *et al.*, used a ...	Smithらが、最初に、実験で…を実現したときには、…を使用した。
An experimental demonstration of this effect was first carried out by ...	この効果を最初に実験で示したのは、…だった。
Smith and Jones (1994) were the first to describe X, and reported that ...	Xについて最初に記述したのはSmithとJones（1994）で、彼らは…であることを報告した。
X was originally isolated from Y in a soil sample from ... (Smith *et al.*, 1952).	Xは、もともとは、…で得られた土壌サンプル中のYから単離された（Smithら, 1952）。
Thirty years later, Smith (1974) reported three cases of ...	その30年後、Smith（1974）が3例の…を報告した。
In the 1950s, Smith pointed to some of the ways in which ...	1950年代に、Smithは、…であるような方法をいくつか指摘した。
In 1975, Smith *et al.* published a paper in which they described ...	1975年に、Smithらは、…について記述した論文を発表した。
In 1984, Jones *et al.* made several amino acid esters of X and evaluated them as ...	1984年に、Jonesらは、Xのアミノ酸エステルをいくつか作成し、それらを…として評価した。
In 1981, Smith and co-workers demonstrated that X induced in vitro resistance to ...	1981年に、Smithと共同研究者たちは、Xが、…に対するin vitroでの抵抗性を誘導することを示した。
In 1990, Jones *et al.* demonstrated that replacement of H_2O with heavy water led to ...	1990年に、Jonesらが、H_2Oを重水に変えると…になることを示した。

第18章 要旨で用いる表現

要旨は、論文や予定されている学会発表の内容について、短くまとめたものだ。研究発表や学位論文の要旨の場合、読者が研究全体を手早く理解できるよう提示する必要があり、たとえば、学位論文の要旨であれば、以下の要素を含めるのが通例だ。

- 研究課題の重要性
- 関連文献
- 未解明の研究領域

- **本研究の目的**

- 用いた方法

- **主要な知見の説明**

- 知見が持つ意味
- 研究の価値

最初に3要素（研究課題の重要性／関連文献／未解明の研究領域）をまとめて示したのは、これらの要素は、どれかひとつが述べられていることも、全部がまとめて述べられていることもあるからだ。とはいえ、学位論文の要旨であっても、どれも述べられていないこともある。

また、上記要素のうち必須と思われるのは「本研究の目的」と「主要な知見の説明」の2事項のみなので、これらは太字にしておいた。

なお、最後の2要素以外は、論文の序論で述べられることもあり、一方、最後の2要素は、考察や結論で述べられるのが通例だ。

以下に、これらの各要素に用いられる表現を挙げる。

トピックの重要性を強調する

X is vital for ...	Xは、…にとって不可欠だ。
X plays a key role in ...	Xは、…で中心的な役割を果たしている。
X is a classic problem in ...	Xは、…での古典的な問題だ。
Xs were a major element of ...	Xは、…の主要な要素だった。
There is a recognized need for ...	…については、広く認められた必要性がある。

X is a condition that is characterized by ...	Xは、…であることを特徴とするような状態である。
X is a pathogenic bacterium that causes ...	Xは、…を生じる病原性細菌である。
Recently, there has been renewed interest in ...	最近、…に再び関心が集まっている。
Since the 1960s, gradual changes in X have been observed.	1960年代以来、Xのゆるやかな変化が観察されている。
The X industry is estimated to be worth over $300 billion annually.	X産業は、年3000億ドルを超える価値があると推定される。

現状での文献に言及する

Several studies have documented ...	いくつかの研究が、…を記載している。
Studies of X show the importance of ...	Xの研究は、…の重要性を示している。
Several attempts have been made to ...	…するために、いくつかの試みが行われている。
A growing body of evidence suggests ...	増えつつあるエビデンスは、…を示している。
X is becoming a common trend in Y research.	Xは、Y研究の一般的なトレンドになりつつある。
Recent studies related to X have shown that ...	X関連の最近の研究によって、…が示された。
X has been the focus of much investigation in the search for ...	Xは、…を探索する多くの研究で焦点となってきた。
X has emerged as a powerful tool in studying the behavior of ...	Xは、…の行動について研究する際の強力な手段として浮上した。
There has been substantial research undertaken on the role of ...	…の役割については、相当な研究が行われてきた。
Previous research has indicated potential associations between ...	これまでの研究で、…同士が関連している可能性が示唆されている。
X has attracted considerable attention, both scholarly and popular.	Xは、学術界からも一般からも相当注目を集めてきた。

未解明領域の存在を指摘する

However, X has yet to be understood.	しかし、Xには未解明の点がある。
Previous studies of X have not dealt with ...	Xについてのこれまでの研究は、…を扱ってこなかった。

Researchers have not treated X in much detail.	研究者は、Xを十分詳しくは扱ってこなかった。
The historiography of X largely ignores the role of Y.	Xをめぐる史料編纂では、Yの役割はほとんど無視されている。
Most studies in the field of X have only focused on ...	X分野の研究は、大半が、…のみに注目してきた。
The contribution of X has received little attention within ...	Xの貢献は、…ではほとんど注目されてこなかった。
For the past three decades, studies of X have been restricted to ...	この30年間、Xについての研究は、…に限定されていた。
The cellular mechanisms underlying those defects are still poorly understood.	こうした異常がどんな細胞機序のせいで生じているのかについては、まだほとんどわかっていない。
No known empirical research has focused on exploring relationships between ...	…間の関係を探る作業に注力した実証的な研究は知られていない。
This research has been impeded by the lack of appropriate attachment measures.	この研究は、愛着についての適切な測定尺度を欠いたことで、うまくいかなかった。

研究目的を述べる

The aim of this study was to ...	この研究の目的は、…することだった。
This study set out to examine ...	この研究では、…の検討に着手した。
This study set out to determine whether ...	この研究では、…かどうかの判断に踏み込んだ。
The principal objective of this project was to investigate ...	このプロジェクトの主目的は、…について研究することだった。
In this study, techniques for X were developed and applied to ...	この研究では、Xのための技術を開発し、…に適用した。
The present study aimed to explore the relationship between ...	この研究は、…間の関係を探ることを目的としていた。

This thesis この学位論文では、	argues ...　…について論じる。 reports on ...　…について報告する。 investigates ...　…について探究する。 analyses the roles played by ...　…が果たす役割について分析する。 explores the degree to which ...　…である度合いを探究する。 addresses a neglected aspect of ...　…のこれまで無視されてきた側面を扱う。 aims to portray the different ways in which ... …であるような各種の方法を描き出すことを目的とする。 examines the chronology and geography of ... …の年代的・地理的な広がりについて吟味する。 seeks to understand and explain the role of ... …の役割について理解し、説明しようとするものである。

用いた方法を示す

The research is based on four case studies.	この研究は、4件の事例研究に基づくものだ。
Contemporary source material was used to examine ...	…を検討するために、同時代の資料を使用した。
This study provides a novel approach to quantifying X using ...	この研究は、…を用いてXを定量化する新たなアプローチを提供する。
This study used a phenomenographic approach to identify the ...	この研究では、…を特定するために現象記述的なアプローチを使用した。
An online survey provided quantitative data from 670 participants.	オンライン調査で、参加者670名からの量的データを得た。
Questionnaire assessments of X were collected from 116 adults who ...	Xについての質問票による評価を、…である成人116名から回収した。
The study utilized a comparison control group design with three groups of ...	この研究では、3群の…を用いる比較対照群法を用いた。
The research consisted of an extensive ethnographic inquiry that included ...	この研究は、…を含む広範なエスノグラフィー研究からなるものであった。
A combined qualitative and quantitative methodological approach was used to ...	定性的な方法論的アプローチと定量的な方法論的アプローチを組み合わせて用いることで、…を行った。
A cross-sectional study was undertaken to explore the potential relationship between ...	横断的な研究を実施して、…間の潜在的な関係性を調べた。

主要な知見について述べる

Results showed that ...	結果から、…であることが示された。
This study identified ...	この研究は、…を特定した。
The findings show that ...	得られた知見は、…であることを示している。
Respondents reported ...	回答者は、…であると報告した。
The thesis concludes that ...	この学位論文は、…だと結論づけるものである。
Analysis of X revealed that ...	Xの分析によって、…であることが明らかになった。
The experimental data suggested that ...	実験のデータからは、…であることが示唆された。
Evidence is presented which shows that ...	…であることを示すエビデンスを提示する。
The research presented here confirms that ...	ここに示す研究で、…であることが確認された。
The study identified limited evidence of the ...	この研究では、…についての限定的なエビデンスが特定された。
The principal findings of this research are that ...	この研究の主要な知見は、…というものである。
In this study, X was shown to vary in response to ...	この研究では、Xが…に応じて変化することが示された。
This review found evidence that early interventions are effective in ...	このレビューでは、早期の介入が…に効果的だというエビデンスが見つかっている。
The findings indicated that there was a positive relationship between ...	得られた知見は、…間に正の相関があることを示唆していた。
Significant associations for X were identified for ten variables, including ...	…を含む変数10種について、Xについての有意な関連があることが特定された。

研究の意味や価値を説明する

The study implies that ...	この研究は、…であることを示している。
The involvement of X implies that ...	Xが関与したということには、…という意味がある。
It is evidently clear from the findings that ...	得られた知見からは、…であることがどう見ても明瞭だ。
An implication of this is the possibility that ...	このことが意味するのは、…という可能性だ。
The results of this study support the view that ...	この研究の結果は、…という見方を裏づけるものだ。
These findings provide a solid evidence base for ...	これらの知見は、…の強固な論拠となる。

The present results highlight the detrimental effects that X has on ...	この結果は、Xが…に対して好ましくない効果を有することを強調するものである。
These data support further clinical development of ...	これらのデータは、臨床での…のさらなる展開を裏づけるものだ。
The findings can contribute to a better understanding of ...	これらの知見は、…についての理解を深めるうえで役立つ。
This research provides a timely and necessary study of the ...	この研究は、…についての時宜にかなった必須の調査を提供する。
The findings presented in this thesis add to our understanding of ...	この学位論文で提示する知見によって、…についての理解が深まる。
The research results represent a further step toward developing ...	この研究結果は、…を展開するうえでのさらなる一歩となっている。
This study should, therefore, be of value to practitioners wishing to ...	したがって、この研究は、…を願う実務家にとって価値があるはずだ。
As a result of these investigations, suggestions were identified for future research.	これらの研究の結果、今後の研究に向けてヒントになる内容を特定できた。

第19章 謝辞で用いる表現

学位論文の「謝辞」セクションは、単なる形式的な儀礼ではない。「謝辞」が大事なのは、「謝辞」には、どんな人々や機関のおかげでその研究が実施できたのかが述べられており、そうした人々や機関に対して謝意が表明されているからだ。

謝辞に登場することが多いのは、研究助成機関、研究機関、研究制度、指導教員、共同研究者、親密な同僚、家族などだろう。順番としては、公的な色彩が強い研究助成機関、研究機関、指導教員などから、親密度の高い友人や家族へと書き進められることが多い。

以下に、感謝や謝意を表現する例を挙げる。

<table>
<tr><td rowspan="2">Firstly,
まず、

Secondly,
第二に、

Finally,
最後に、</td><td>I wish to

I want to

I would like to</td><td>thank X

extend my thanks to X

express my gratitude to X

give a special thank you to X</td><td>for his constant

for her continuous</td><td>advice.
support.
tolerance.
patience.
guidance.
forbearance.
reassurance.
encouragement.</td></tr>
<tr><td colspan="4">Xに対し、［アドバイス／助力／許容／辛抱／指導／我慢／励ま／激励］しつづけてくれたことに［感謝／感謝の意を表／謝意を表／特別に感謝］したい。</td></tr>
</table>

<table>
<tr><td rowspan="2">Most of all,
とりわけ、
In particular,
特に、
First and foremost,
まずもって、
Last but not least,
最後になるが、</td><td>I would like to thank</td><td>my supervisor for ...
the University of X for ...
each of the participants in this study for ...</td></tr>
<tr><td colspan="2">…について［指導教員／X大学／この研究の参加者各位］に感謝したい。</td></tr>
</table>

I am	also very deeply forever equally eternally especially extremely	grateful to X for ...

	immensely particularly	

…については、Xに対して［も／おおいに／深く／永遠に／同じく／幾久しく／特に／特段に／深く／特に］感謝したい。

I owe a great deal to ...	…には、大変お世話になった。
I owe a debt of gratitude to ...	…には、おおいに感謝している。
I want to express my gratitude to ...	…に、謝意を表したい。
I am indebted to my supervisors for their ...	指導教員のみなさんに、…について感謝したい。
I must thank X for the award of the funding which enabled me to undertake ...	Xには、資金の供与によって…が実施可能となったことに感謝せねばならない。
I think it is essential that I thank my long-term friend and companion, X, for his ...	長年の友人であり仲間でもあるXに対して、彼が…してくれたことに感謝しておかねばなるまい。
I welcome this opportunity to thank the friends, family and colleagues who provided ...	この機会を利用して、…を提供してくれた友人、家族、同僚に感謝したい。
I must express my sincere appreciation to X for her constant and continued support and patience.	Xには、長きにわたって辛抱強く支えつづけてくれたことに心から謝意を表明したい。

My	special sincere warmest heartfelt	thanks	go to are due to	X	who has always encouraged me to ... …ができるよう常に励ましてくれたXに表したい。 who provided the help, guidance and support. 助力、指導、サポートを提供し〜 who has been an unstinting source of support. 惜しみなくサポートしつづけ〜 who always made time to help and support me. いつも時間をとって助力し、サポートし〜 for his continued support and patience. 根気よく援助しつづけ〜 for agreeing to participate in this study. この研究への参加に同意し〜 for her guidance, encouragement and support. 導き、激励し、支え〜 for her academic supervision and personal support. 学術面で指導し、個人的にも支え〜
［特段の／心からの／最大級の／深い］謝意を、					

A very special thank you goes out to ...	…に特段の謝意を表明したい。
Thanks also to the University of X, for providing the data for ...	X大学にも、…についてのデータ提供に感謝したい。

Thanks to the staff of X for their contributions to the research ...	Xのスタッフには、研究への貢献について謝意を表明し、…
My gratitude is also extended to the following funding bodies:	さらに、以下の研究助成機関にも感謝したい。すなわち…
My acknowledgments would not be complete without thanking ...	謝辞を終える前に、…への感謝を述べておきたい。
There were a multitude of individuals who helped me to arrive at this point, and ...	この段階に達するまでに何人もの方のご助力をいただいており、…
Most importantly, I would not have been able to afford to undertake this endeavor without ...	何よりも、…なくして、この研究を実施することはできなかったろう。

X has been Xは、	supportive and patient throughout the writing of this thesis. この学位論文を執筆している間、ずっと忍耐強く支えてくれた。 an unfailing source of encouragement, advice and reassurance. 絶え間なく激励、助言、励ましを続けてくれた。 a continuing source of encouragement and optimism throughout. 最初から最後まで明るく励ましつづけてくれた。 supportive and has provided me with invaluable teaching opportunities. 助力を惜しまず、また教えるという貴重な機会を提供してくれた。

X has offered valuable advice on specific aspects of ...	Xからは、…の具体的な諸側面について、貴重なアドバイスをいただいた。
X has provided valuable assistance with accessing online resources.	Xからは、オンライン資料へのアクセスについて貴重な助力をいただいた。
X's enthusiasm for my topic was essential in helping me complete this project.	私のトピックに対するXの情熱なくして、このプロジェクトを完成することはできなかった。
X has monitored my progress and offered advice and encouragement throughout.	Xは、ずっと私の進捗を見守り、助言しつつ励ましてくれた。

第 Ⅲ 部

学術的文章を書くということ

第20章 学術的文章のスタイル

以下では、学術的文章（書かれた文章）のスタイルが持つ基本的な特徴を、ひとつずつ説明していこう。

1. エビデンスに基づいて執筆する

学術的文章のスタイルで特に重要なのは、文章がエビデンスに基づくかたちで書かれていることだろう。執筆者は、自らの議論や主張を、その専門分野の知識体系ならではのエビデンスで裏づける。また、実施した研究については、すべて、その分野の先行研究を参照せねばならない。その結果、学術的文章は、自分以外の研究者や先行研究への言及であふれかえることになる。例を見てみよう。

- Previous studies have shown that ...
  （先行研究によって、…であることが示された。）
- These sources suggest that from the fifth century onwards ...
  （こうした資料からわかるように、5世紀以来…）
- According to the 1957 Annual Medical Report, the death of the 960 inhabitants of ...
  （1957年版Annual Medical Reportによると、…の居住者960名の死亡は、）
- However, as has been shown elsewhere (e.g. Smith, 1992), the increase in ...
  （しかし、すでに示されているように（たとえばSmith, 1992）、…の増加は、）

この種の表現については、「関連文献に言及するための表現」の章に用例を多数挙げてあるので参照してほしい。

なお、一般的な命題については、実際の事例によって裏づけるのが通例である。

- This can be seen in the case of ...
  （このことは、…の事例に見ることができる。）
- A good example of this can be found in ...
  （このことのよい例は、…に見出すことができる。）

2. 古典語起源の単語を使用する

日常英語とは異なり、学術的文章には、古典語起源（ギリシャ語やラテン語起源）の単語が多用されるという特徴がある。

理由としては、まず、ヨーロッパのルネサンス期にラテン語が学術界の言語、つまり学者間の国際共通語だったことが挙げられるだろう。時代が下がっても、科学の重要論文、たとえばアイザック・ニュートンの『自然哲学の数学的諸原理（Philosophiæ Naturalis Principia Mathematica）』（1687）はラテン語で書かれたし、学術的文章が英語で書かれた場合も、英語に対応語がない概念や現象については、古典語起源の単語が利用されたのだった。

今日、学術の共通語（lingua academica）は英語になっている。しかし、学術的文章の執筆時には、ラテン語起源の単語や、ギリシャ語起源の単語（主にラテン語経由）が使われることも多い。

日常語句		学術的文章で使用される語句
a lot of	→	considerable（相当量の）
big	→	significant（重要な）
bring together	→	synthesize（総合的に扱う）
get rid of	→	eradicate（根絶する）
not enough	→	insufficient（不十分な）
story	→	anecdote（逸話、小咄）
thing	→	object（対象）
trouble	→	difficulty（困難）
way (of doing)	→	method（方法）

なお、学術英語では、古典語起源の単語を使用した言い換えではないが、下記のような言い換えも行われる。

日常語句		学術的文章で使用される語句
not much research	→	little research
not many studies	→	few studies
isn't any evidence	→	no evidence

3. 慎重な表現を使用する

学術的文章の執筆者は、自らの主張に関しても慎重だ。疑問が残っていそうなときは確言を避けるし、過度の一般化にも慎重だ。この種の書き換え例を下記に示す。後者が学術的文章のスタイルである。

● Drinking alcohol causes breast cancer in women.
（アルコールを飲んでいると、女性は乳癌になる。）
↓
● Some studies suggest that drinking alcohol increases the risk of breast cancer.
（アルコールの摂取によって乳癌のリスクが上昇するという研究もある。）

この種の表現については、「慎重を期す際の表現」の章に用例を多数挙げてあるので参照してほしい。

4. 非人称表現を使用する

学術的文章の執筆者には、客観性を優先すべく、文章から自分の存在を消そうとする傾向がある。注意が向くのは、「何が」起こり、それが「どのように」なされ、その結果「何が」見出されたのかのほうで、「誰が」（誰が執筆者なのか）という部分にはさして注意が向かないのが常だ。人称代名詞（I や we）の使用が少ないのも、それが一因だろう。さらにいえば、読者に向かって何かが直接語りかけられることもめったになく、こうした目的での使用が多い人称代名詞「you」の使用も少ない。かくして、下記のうち2つ目のようなスタイルが使われることになる。

- You could say that Churchill made some catastrophic decisions early in the War.
（チャーチルは、大戦初期に最悪の判断をいくつか行ったといえる。）
↓
- It can be said that Churchill made some catastrophic decisions early in the War.
（チャーチルは、大戦初期に最悪の判断をいくつか行ったといえる。）

とはいえ例外はある。分野によっては、論文の執筆者がその領域での個人的な関心について述べるのが適当なこともあるし、研究者が参与観察者として研究に参加することもある。そうした場合には「I」も使用される。下記の例は、歴史分野の学位論文で、自分の関心について述べている例だ。

I became interested in X after reading ... I hope to convey some of my fascination for the subject, as well as expressing my admiration of the artistic achievements of those involved
（私は、…を読んでXに関心を持つようになった。この主題に対する私の深い関心の一端を伝えるとともに、かかわられた方々の芸術的成果への賞賛を表明したい。）

医学分野や科学分野で実施されたチーム研究の場合では、「we」のような人称代名詞を用いて報告が行われることも多い。

5. 名詞や名詞句を使用する

学術的文章の執筆者は、動詞（行為）を名詞のかたちに変えて用いることが多い。下記の例では、「abandoned（放棄された）」という動詞が、抽象名詞の「abandonment（放棄）」になっている。

- Unwanted Roman children were generally abandoned in a public place.
（ローマの望まれぬ子どもたちは、たいてい、公的な場所に捨てられた。）
↓
- The abandonment of unwanted Roman children generally occurred in a public place.
（ローマの望まれぬ子どもたちの子捨ては、たいてい、公的な場所で行われた。）

こうした変形の結果、学術的文章の特徴として、「the abandonment of unwanted Roman children」のような長い名詞句を含む構文が多用されることになる。こうした名詞句は、長いだけではなく複雑なことも多い。

- the effect of reducing aggressiveness by producing an ACTH-mediated condition of decreased androgen levels
  （ACTHによって媒介されたアンドロジェン・レベルの低下状態を生成することによって攻撃性を弱める効果）

この種の構文は科学の文章としてはごく普通だと考えられているものの、1文内で処理すべき情報の数が増えるので、こうした構文に読者が不慣れな場合には読むのが難しくなる。名詞句の過度の使用は慎むべきだとする議論もある。

6. 修辞疑問文の使用を避ける

学術的文章では、大事な考えを新たに持ち出す際に疑問文を使用することは避け、陳述文のかたちで述べたほうがよい。

- Is the welfare system good or not?
  （福祉制度はよい制度といえるだろうか？）
  ↓
- It is important to consider the effectiveness of the British welfare system.
  （英国の福祉制度の有効性について考えることは大切だ。）

7. 縮約形の使用を避ける

学術的文章では、縮約形（たとえばit's、don't、isn't、aren't）の使用は避ける。とはいえ、録音された会話やインタビューを書き起こす場合は、その限りではない。

8. 厳密かつ詳細に書く

最後に、学術的文章の際だった特徴として、文章が厳密で詳細なことも挙げられる。これは、考えや概念をいかに提示・展開するのが、記述にどのような表現を用いるのかともかかわってくる。

第21章 学術的発表（プレゼンテーション）のスタイル

学術的な発表では、学術的文章を書く場合とは異なり、個人的で親近感のあるスタイルを用いるほうが普通だ。

以下に挙げる表現の多くは、口頭発表で、便利な「道しるべ」として機能する。こうした「道しるべ」があると、聴いている側は話の流れを追いやすくなる。人称代名詞（I、we、you）が、こうした表現の多くでどう使われているかについても、気をつけて見ておこう。

発表の導入部分

<table>
<tr><td rowspan="2">In this paper,
この論文では</td><td>I'd like to
私は</td><td>report on a study which aimed to ...
…のために実施した研究について報告します。
explore a very important aspect of ...
…の重要な側面について考えていきます。
examine two important problems facing ...
…が直面する重要な問題2つについて検討します。
describe some of the more recent developments in ...
…の最近の展開をいくつかお話しします。</td></tr>
<tr><td colspan="2">I'll mainly focus on ...　私は主に…に注目します。</td></tr>
</table>

This afternoon, I'd like to 午後は、	discuss ...　…について議論していきます。 describe ...　…について述べようと思います。 speak about ...　…についてお話しします。 present my findings on ...　…について私が得た知見をお話しします。 address the question of ...　…の問題についてお話しします。

The aim of my presentation is to 私の発表の目的は、	assess ...　…について評価することです。 discuss ...　…について議論することです。 explore ...　…について探究することです。 examine ...　…について調査することです。 compare ...　…について比較することです。 argue that ...　…であると議論することです。 critically evaluate ...　…を批判的に評価することです。 offer a new model for ...　…についての新たなモデルを提供することです。 address the question of ...　…という問題に取り組むことです。 explore the ways in which ...　…であるようなやり方を探究することです。 report on the findings of my study which ... …を行った私の研究で得られた知見について報告することです。

We know that X 我々は、Xが	is	fundamental to ...　…にとって根本的であることを知っています。 a leading cause of ...　…の主因であることを知っています。 an important aspect of ...　…の重要な側面であることを知っています。
	has plays serves	a critical role in ...　…で決定的な役割を果たしていることを知っています。 a pivotal role in ...　…で枢要の役割を果たしていることを知っています。

One of the most	pressing important interesting challenging	problems in this area is ...
この領域で特に〔さしせまった／重要な／興味深い／取り組みがいのある〕問題に、…があります。		

発表のトピックを定義・整理する

There are	three main types of X in ...　…には、Xの主なタイプが3つあります。 many different kinds of ...　…には多くの種類があります。

In this paper, I use the term ‘X’ to refer to ...	この論文では、(私は)「X」という用語を用いて…に言及します。
In this presentation, I am using the term ‘X’ to refer to ...	この発表では、(私は)「X」という用語を用いて…に言及します。
X can best be treated under three headings. These are: ...	Xについては3項目に分けて扱うのがよいでしょう。つまり…
I’ve divided my presentation into three sections. The first section ...	発表は3つの部分に分けて行います。最初の部分では、…

発表内容の順番を伝える

First of all, まず、 To begin with, まず、 In the first part of this paper, この論文の最初の部分では、	I'd like to talk about ... …についてお話ししてから、	and then (I'll) go on to ... …に話を進めていきます。

I'll begin by ...	まず…からはじめます。
I'll then go on to ...	次に…に進みます。
Another important aspect of X is ...	Xの別の重要な側面として、…があります。
Finally, I'll argue that ...	最後に、…であることについて議論します。
Finally, I'd like to consider X.	最後に、Xについて考えます。

発表内容の強調点を示す

There are two important	causes of ... reasons for ... consequences of ...
… には、重要な〔原因／理由／結果〕が2つあります。	

It is worth noting that ...	…には、注目しておいたほうがよいでしょう。
It is important to stress that ...	…を強調しておくことは重要です。
Perhaps the most interesting aspect of this is ...	ひょっとすると、このことに関して特に興味深いのは、…という側面ではないでしょうか。
What is important for us to recognize here, is that ...	ここで我々が認めておくことが重要なのは、…ということです。

写真・イラスト・絵・動画などに言及する

If we could	focus for a moment on Figure 1, ... turn for a moment to look at Table 2, ...	we can see that ...
ちょっと〔図1／表2〕を見てみましょう。		…がわかるはずです。

Here we can see that ...	ここで、…がわかります。
This can be clearly seen when we look at ...	このことは、…を見るとはっきりわかります。
We can see this clearly in the following diagram:	このことは、次の図から明瞭です。つまり、

話題の転換を示唆する

I'd like now to move on to さてここで、	discuss ...　…の議論に移ります。 examine ...　…について検討します。 consider ...　…について考えます。 address the question of ...　…の問題を考えます。

発表をまとめる

In this presentation, I've	argued that ... shown that ... explained that ...
この発表では、	…であると〔論じ／示し／説明し〕ました。

So, to conclude, ...	さて、まとめますが、…
I'd like to conclude by saying that ...	…と申し上げることでまとめとします。
In conclusion, I'd like to suggest that ...	まとめとして、…を提案したいと思います。
Are there any questions?	ご質問はありますか。
Does anyone have any questions?	質問のある方はおられますか。
That covers the main points. If you have any questions, I'll be happy to answer them.	以上が主要な点です。ご質問があれば、喜んでお答えします。

第22章 間違えやすい単語

スペルチェッカーでチェックできるのは、綴りを間違えたせいで、スペルチェッカーが認識できなかった単語だけだ。つまり、綴りを間違えたために意味や用法が異なる別の単語になっても、スペルチェッカーが正しい単語を提案してくれることはない。

以下に、混同されやすい語句の例を挙げておく。

abbreviation/acronym

abbreviation（略語・省略形）は、語句を短縮形としたもので、すべてではないとはいえ、たいていの場合、その語句から抜き出された1文字ないし何文字かで構成されている。典型的な例にDr.やProf.がある。

acronym（頭字語、アクロニム）も省略形ではあるが、複数の句や単語から最初の何文字かを抜き出し、抜き出した文字を用いて、NATO、Benelux、UNESCOのように単語のかたちにしたものだ。

affect/effect

affectは動詞。例：A affects B.（AがBに影響する。）

effectは名詞。前に冠詞や限定詞（anやthe/this）が来る。例：The Greenhouse Effect（温室効果）

compliment/complement

compliment（動詞）には、誰かを褒めるという意味がある。

complement（動詞）には、（基本的に状態がよくなる方向で）何かを補完したり、何かを補足したりするという意味がある。

どちらの単語も、名詞としても使用可能。

comprise/consist

どちらの単語にも「～から構成される」や「～を含む」の意味がある。ofをともなうのはconsistのみ。

discrete/discreet

discreteは、separate（分離している）やdistinct（別々の）の意味のある形容詞である。

discreetは、to keep silent（口が堅い）またはtactful（思慮深い）を意味する形容詞である。

formerly/formally

formerlyは、earlier（以前は）を意味する。

formallyは、conventionally（しきたりどおりに）またはofficially（公式に）を意味する。

i.e./e.g.

i.e.は、id estの省略で、that is（つまり）やin other words（言い換えると）を意味する。

e.g.は、exempli gratiaの省略で、for example（たとえば）やfor instance（たとえば）を意味する。

its/it's

アポストロフィーのないitsは、myやyourと同じように所有の限定詞で、it'sは、it isまたはit hasの縮約形。なお、学術的文章では、縮約形の使用は好ましくない。

later/latter

laterは、at an advanced point of time（もっと先の時点で）の意味がある副詞である。

latterは、文中に列挙された事項に言及する際に使用される形容詞で、most recently mentioned（最後に言及した）、つまりthe last item（直近の事項）を指す意味で使われる。

practice/practise

イギリス英語では、practiceは名詞、practiseは動詞である。アメリカ英語では、両方の綴りを名詞にも動詞にも使用できる。*

＊訳注：アメリカ英語では、動詞にも名詞にもpracticeを使用するのが通例である。

precede/proceed

動詞precedeには、to come before（先行する・先んじる）の意味がある。

動詞proceedには、to go forward（そのまま続ける）やto begin to carry out（中断していたものを続行する）の意味がある。

prescribe/proscribe

動詞prescribeには、to advise or authorize the use of something（何かの使用を人に指示したり命令したりする）の意味がある。*

動詞proscribeには、to forbid（禁止する）やto restrict（規制する）の意味がある。

＊訳注：動詞prescribeは「薬剤を処方する」という意味でも使用される。

principle/principal

principleは、basic belief（信念）、theory（原理）、rule（法則）などの意味のある名詞である。

principalは、main（主な）やmost important（最重要の）の意味のある形容詞で、head teacher of a school（校長）の意味もある。

there/their

thereは、何かが存在していることを述べるために使われる。例：There are two famous football teams in Manchester.（マンチェスターには有名なサッカーチームが2つある。）

theirは、所有状態、つまり何かが誰かあるいは何かに所有されていることを述べるために使われる。

第23章 英国綴りと米国綴り

学術的文章で英米の綴りの違いとして真っ先に気づくのは、英国ならise/yseで終わり、米国ならize/yzeで終わる動詞だろう。

- analyse（英）／analyze（米）
- industrialise（英）／industrialize（米）
- summarise（英）／summarize（米）

この違いは、こうした動詞由来の名詞にも影響している。

- organisation（英）／organization（米）
- globalisation（英）／globalization（米）
- colonisation（英）／colonization（米）

もうひとつ、違いが目立つのが、reで終わる単語だろう。

- centre（英）／center（米）
- metre（英）／meter（米）
- litre（英）／liter（米）

さらに別パターンの単語を以下に示す。それぞれ、パターンを見てとれると思う。

英	米
aeroplane	airplane
analogue	analog
behaviour	behavior
catalogue	catalog
colour	color
connexion	connection
defence	defense
dialogue	dialog
encyclopaedia	encyclopedia
endeavour	endeavor
foetus	fetus
instalment	installment
labour	labor
paediatric	pediatric
plough	plow
programme	program
rigour	rigor
sceptical	skeptical
skilful	skillful
travelled	traveled

英国の大学や英国の雑誌向けに論文を執筆するときには、綴りも英国風にしておく必要がある。

第24章 パンクチュエーション(句読法)について

パンクチュエーション(句読法)の目的は、書かれた文章を読みやすくし、意味を明瞭にしてあいまいさを減らすことにある。したがって、学術的文章では、正確できちんとしたパンクチュエーションが必要だ。

学術的文章で重要な点を以下にまとめておく。

1. ピリオド

- 文がそこで終わっていることを示す。
- 省略を示す。たとえば、*etc.* や *et al.*(ピリオド不使用の場合もある)。
- 引用文中に省略箇所があることを示す(...)。

2. コンマ

- and、or、butのような単語でつながれた文の主要部分(主節)2つを分離する。
- 文の従属部分(although、when、becauseなどの単語ではじまる部分)を、主要部分から分離する。特に従属部分が文の前にある場合。
- 文中のそれ以降が、付加情報であることを示す(情報が重要であっても付加的なかたちで示される場合もある点に注意)。
- それ以降が、非制限用法の関係節であること、つまり付加的な情報であることを示す。
- 列挙された各項目を隔てる。例:apples, oranges, and pears(and直前に来る最後のコンマは省略されることも多い点に注意)

3. コロン

- コロンの後ろに説明が続くことを示す。例:The reason the experiment failed was obvious: the equipment was faulty.(実験がうまくいかなかった理由は明白だった。つまり、機器に問題があったのである。)
- コロン以降に、リスト、それもある程度複雑な文法構造を持つリストが続くことを示す。セミコロンの項に示す例を参照のこと。
- コロン以降に、直接引用、それも長い引用が続くことを示す。例:Jones (2003) states that: '...'.(Jones(2003)は「…」と述べている。)

4. セミコロン

- 意味的に密接に関連しあった文2つを分離する(必要に応じてピリオドのかわりに用いる)。例:Some students prefer to write essays; others prefer to give presentations.(文章を書くのが好きな学生もいれば、口頭発表が好きな学生もいる。)
- ある程度複雑な文法構造を持つリストで、項目同士をはっきり隔てる。例:For Aristotle, motion is of

four kinds: (1) motion which ...; (2) motion which ...; (3) motion which ...; and (4) motion which...（アリストテレスにとって、運動は以下の4種、すなわち、(1)…ような運動、(2)…ような運動、(3)…ような運動、(4)…ような運動のどれかである。）

5. '...' や "..." などの引用符

- 直接引用であることを示す。
- 特別な、あるいは普通とは異なるかたちで使われている語句を際立たせる。例：Quotation marks are also called 'inverted commas'.（引用符は「逆コンマ」とも呼ばれる。）

注意：シングルの引用符（'...'）は、現在では、ダブルの引用符（"..."）よりよく使われるようだ。引用中でさらに引用を行う場合は、シングルの引用符の内側にダブルの引用符を（あるいはダブルの引用符の内側にシングルの引用符を）使うこと。

6. ダッシュ

- 一般論としては、フォーマルな学術的文章の場合には使用を避け、代わりに、コロン、セミコロン、括弧などを適宜使用すること。

第25章 冠詞について

英語での冠詞の使用というのは、とても複雑な領域だ。とはいえ、多くの状況で役立つシンプルなルールもいくつかある。ひとつずつ説明していこう。

1. 単数形の可算名詞

単数形の可算名詞には、その前に必ず、限定詞という短い修飾語がつく。そして、この限定詞は冠詞（a/an、the）であることが多い。学術的文章ではよく使われるのに、英語のネイティブではない執筆者が苦労しがちな可算名詞の例を挙げておく。

system、model、method、approach、group、problem、effect、level、investigation、sector、study、participant、condition、category

これらの単語が、その内容を規定する名詞や形容詞によって前から修飾されている場合も、限定詞は必須であることに注意しよう。

- 定冠詞がついた例：the greenhouse effect、the transportation system、the control group
- 不定冠詞がついた例：a high level、a systematic approach、a rigorous study、an exploratory investigation

2. 複数形の可算名詞

執筆者が何か特定の一群の事物を念頭に置いている場合には、通常定冠詞が使われる。

- The books in this collection were published in the 19th or early 20th century.
  （このコレクションの書籍は、19世紀か20世紀初頭に出版されたものである。）

そうでない場合には、冠詞は使用されない。

- Learners tend to remember new facts when they are contextualized.
  （学習者は、新しい事実であっても、その事実が前後関係の中に置かれれば記憶できるようだ。）

3. 不可算名詞

不可算名詞には、通常、冠詞はつかない。

- Science has been defined as a systematic approach to answering questions.
（科学は、疑問に答えるための系統的なアプローチであるとして定義されてきた。）
- Reliability is an important quality of any test.
（信頼性は、どんな試験であっても、重要な特性だ。）

ただし、of ...やwhich ...で後ろから修飾される場合には、通常、定冠詞が使用される。

- The science of global warming is a complex and controversial area.
（地球温暖化の科学は、複雑で議論の多い領域だ。）
- The reliability of this instrument is poor.
（この装置の信頼性は低い。）
- Chemistry is the science which addresses the composition and behavior of matter.
（化学というのは、物質の組成や挙動をめぐる科学である。）

4. 名称

名前や肩書きには、通常、定冠詞（the）はつかない。

- Manchester University、Manchester

しかし、名詞句が後ろからof ...で修飾されている場合には、事情が違ってくる。

- The University of Manchester
- The United States of America

organization、association、instituteといった単語が含まれる場合も、事情が違ってくる。

- The World Health Organization
- The American Heart Association
- The Royal Society
- The SETI Institute

こうしたシンプルなルールとは別に、文章を読んでいるときには、上記のような名称がどのように記述されているかを確認しておくことも必要だ。確認した点については、その都度頭の中にメモしておいてもよいし、自分が実際に文章を執筆するときに以前読んだ文章に立ち戻って確認してもよい。

第26章 文の構造

1. 単文（Simple sentences）

英語で書かれた文章では、すべての文に「主語（S）→動詞（V）」構造が含まれる。疑問文のように順序が逆になる場合以外、主語が動詞より前に来る。

S	V	
An electron	is	an elementary particle.

（電子は素粒子である。）

主語は1単語のこともあるが、名詞を中心とした何単語かによって構成されることも多い。動詞部分は、動作や状態を表したり、単に主語を他の情報とつなぐ役割を果たしたりするが、こうした動詞部分も、2単語以上から構成されることがある。文のそれ以外の各成分は、基本的に「主語→動詞」構造の前側や後側に配置される。

	S	V	
Between 1933 and 1945,	restrictions	were placed	on German academics.

（1933年から1945年にかけて、ドイツの学術界には各種の制約が課された。）

主語が多くの単語から構成されていることも、よくあることだ。

S	V	
The information on various types of wasps and bees in the report	was	useful to environmentalists who were fighting the use of pesticides.

（報告に出てくるスズメバチ類やミツバチ類についての情報は、殺虫剤の使用と闘っている環境保全論者たちにとって有用だった。）

一方、主語も動詞部分も1語のみということもある。

S	V	
It	is	almost certain that a lower speed limit will result in fewer injuries to pedestrians.

（制限速度が低いほうが、歩行者の怪我の件数が少ないのは、まず間違いないだろう。）

こうした単文の最後には、必ずピリオドを打つ。しかし、学術的文章では、こうした単文ではない、もっと複雑な文が多い。

2. 複文（Complex sentences）

文には、「主語→動詞」構造を2つ以上含み、しかもそれらの部分（節）のうちひとつが主要な意味を担い、それだけで独自に意味が通るというようなものも多い。

従属節				主節	
	S	V		S	V
Although	findings of recent research	have shown	X,	no controlled studies	have been reported.

（最近の研究で得られた知見でXが示されたが、対照研究は報告されていない。）

文の主節は、独立節と呼ばれることもある。

文の主節が従属節より前に来ることもある。

主節		
S	V	
Oral societies	tend to be	more concerned with the present

従属節			
	S	V	
whereas	literate societies	have	a very definite awareness of the past.

（文字社会が極めて明瞭な過去意識を持っているのに対し、無文字社会は現在を重視する傾向がある。）

複文の従属節の前には、although、even though、if、even if、when、because、as、since、whereas、whileなどの語句が来ることが多い（232ページの従位接続詞を参照）。

3. 重文（Compound sentences）

文には、「主語→動詞」構造を2つ含み、しかも各節が独立に意味が通る（つまり主節が2つある）ものもある。この場合、2つの節は、and、or、but、soなどの単語やセミコロン（;）を使って結合されている。

S	V	
Supporters of the 'Great Divide' theory	agree	that something is lost as well as gained when people become literate,

	S	V	
but	they	consider	it is worth losing some benefits in order to obtain many others.

訳注：「大分水嶺」理論の支持者は、人々が読み書きができるようになると何かが得られるだけではなく何かを失うことにもなるという点で一致しているが、彼らは、別の多くの利点を得るためにいくつかの利点を失うことには意味があると考えている。

4. 文の構造に関してよく見かける不適切な例

文の従属節を、ピリオドで終わる完全な文のかたちで書いてしまった例：

- Whereas literate societies have a very definite awareness of the past.
  （文字社会には極めて明瞭な過去の意識があるが＋ピリオド）　×
- Although a number of studies have been undertaken.
  （多くの研究が行われているにもかかわらず＋ピリオド）　×

2つの独立節を、節を結合する単語を使わずに1文として書いてしまった例：

- Supporters of the 'Great Divide' theory agree that something is lost as well as gained when people become literate, they consider it is worth losing some benefits in order to obtain many others.
  （前項で重文に関して挙げた例と一緒だが、butがない文）

第27章 複数の発想を連結する際に使用される語句について

and、but、orなど単純な接続詞以外にも、学術的文章では、さまざまな洗練された語句を用いて複数の発想を連結することができる。よく使われる語句の一部を以下に示しておく。

	2つの文をまたいで概念を連結する語句[1]	名詞や名詞句の前側に用いる語句[2]	従位接続詞：主節と従属節を含む文で節同士の関係を示す[3]
付加	also moreover in addition furthermore	in addition to	
反意	yet however nevertheless on the other hand	despite in spite of	although even though
側面	in this respect in other respects from this perspective		
明瞭化	that is in other words		
結果	thus hence therefore as a result consequently		
対比	however in contrast on the other hand	unlike in contrast to	while whereas
例示	for example for instance		
理由		due to owing to because of on account of	as since because
順序	first first of all secondly finally in conclusion		

[1]例：He did not sleep very much. *However,* he still managed to pass the exam.
（彼は寝不足だった。しかし、それでもなんとか試験に合格した。）
He did not sleep very much; *however,* he still managed to pass the exam.
（彼は寝不足だったが、それでもなんとか試験に合格した。）

[2]例：*Despite* the lack of sleep, he still managed to pass the exam.
（寝不足にもかかわらず、彼はなんとか試験に合格した。）
He still managed to pass the exam, *despite* the lack of sleep.
（寝不足にもかかわらず、彼はなんとか試験に合格した。）

[3]例：*Even though* he was unable to sleep, he still managed to pass the exam.
（彼は寝られなかったにもかかわらず、それでもなんとか試験に合格した。）
He still managed to pass the exam *even though* he was unable to sleep.
（彼は寝られなかったにもかかわらず、それでもなんとか試験に合格した。）

第28章 段落（パラグラフ）の構造

読みやすい段落（パラグラフ）でよく見られるパターンは、まずコントローリング・アイデア（その段落を支配する発想）を書いておいてから、裏づけ情報を書くというものだ。つまり、コントローリング・アイデア（トピック・センテンスとも呼ばれる）として、新しい考え、トピック、議論、情報などを段落冒頭に書いておいてから、その後に続く部分で、さらに説明したり、裏づけたりするわけだ。

この構造を図式化してみよう。

トピック・センテンス （新たな論点を一般的な用語を用いて述べる）
裏づけ情報（下記を適宜組み合わせる） ● 統計データ ● 例 ● 引用 ● 時系列での経緯 ● 説明や理由 ● 特定の側面や詳細 ● 影響や結果 ● 先行研究への言及

段落内で示される説明や裏づけとなる情報は、トピック・センテンスときちんと関係づけられていることが重要だ。もし新たに別の論点や考えを述べるなら、その論点や考えは別の段落で述べるべきだろう。説明や裏づけとなる情報が、トピック・センテンスで述べられた総論的な考えの単なる繰り返しにならないようにすることも重要だ。

こうした段落構造の例を右ページに示す。この段落は文を4つ含む段落だが、見やすいように文ごとに改行を入れてある。段落の内容が一般的な発想からより詳細な情報へと展開されている点に注意してほしい。また、文から文へとテーマが受け継がれていく様子を見やすいように、当該語句には下線を付してある。下線の語句が、それぞれ、ひとつ前の文で導入された概念とつながっているのがわかるはずだ。

【原文】

Many children become interested in competitive sport at early ages.

Early involvement (prior to maturity) in competitive sport often exposes individuals to types of stress that may affect their growth, producing a disruption of the normal growth pattern (Wang, 1978; Brown, 1998).

Among cyclists, the most potentially serious of these disorders is likely to be increased thoracic curvature.

Cycling alters the anatomical position of the spine (to a flexed position) particularly the thoracic spine, and exposes the anterior portion of the vertebral column to higher compression (Smith, 1998; Jones, 2002).

【和訳】

小さいうちから競技スポーツに興味を持つ子どもは多い。

早い時期(十分成長する以前)から競技スポーツをはじめた場合には、成長に影響しかねないようなストレスにさらされた結果、正常な成長パターンに支障を来すこともある(Wang, 1978; Brown, 1998)。

自転車競技の選手では、こうした障害として時に深刻かもしれないのは、背骨の過度の湾曲だろう。

自転車競技のせいで、背骨、特に胸椎の解剖学的な位置が(ゆがんだ位置に)ずれて、脊柱の前側部分を圧縮する力が増すのである(Smith, 1998; Jones, 2002)。

第29章　どうやって書くか

本書では、ここまで「何を書くか」について述べてきた。本書を終えるにあたり、「どうやって」書くかについても、留意点をいくつか述べておきたい。3ページだけということになるが、以下の点に留意することで、書き上がった文章の質や量にかなりの違いが出てくるはずだ。

ヒントその1：計画を大事にしよう

研究によれば、経験を積んだ執筆者は綿密な計画を立てるものだという。

計画といっても、当初は発想をいくつも挙げたり、発想間の関係性を図にして整理したりするだけかもしれない（右図）。しかし、その先の段階になれば、論文の章立ても必要になるし、実際の研究が進むにつれて、章立てはさらに細かくなってくる。

執筆計画は、道路地図のようなものだと考えておくのがよい。地図なしでは道に迷うし、堂々巡りをすることになる。

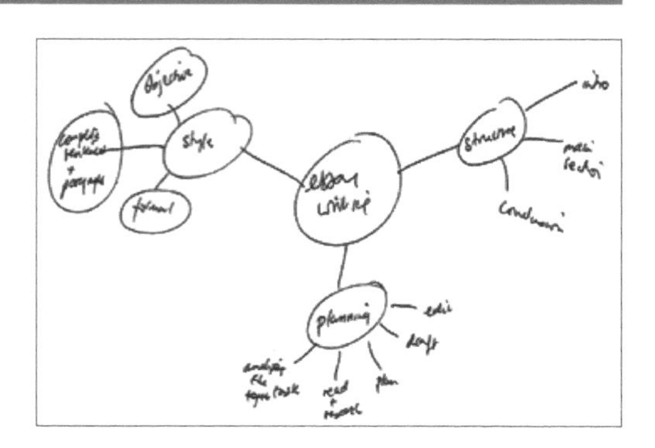

ヒントその2：書きはじめよう

「書けない症候群」に悩む人は多く、特に大変なのが書きはじめのようだ。こうした状況を克服する方法に、短時間（たとえば4分）を目安に、その間、そのトピックをめぐって思いつくことをひたすら書き出してみるという方法がある。大事なのは書きつづけること。キーボードを使っているなら、キーを打ちつづけることだ。綴りや文法は気にせず、どんどん書いていこう。自分でも、短時間に書ける量や、出てくる発想の数に驚くことになるだろう。ここまできたら、出てきた発想を整理して、論理的で文法的にも正しい文章を書けばよい。

ヒントその3：執筆を習慣化しよう

時間管理意識を持って、毎日、執筆を行う時間帯をきっちり確保しよう。あたりまえに思えるかもしれないが、文章を確実に生産していくうえで、この点は欠かせない。執筆時間を毎日確保して、毎回少しでも文章を書くことをめざそう。書く量が少ない日があってもよいし、書いた段落いくつかが、草稿以前の状態であってもよい。量や質はさほど重要ではない。重要なのは、書くことを習慣化することのほうだ。毎日特定の時間帯にコンピューターの前に座るだけで、結果が出る。

ヒントその4：ノートをつけよう

まとまった文章を書いているときというのは、実際に文章を書いていないときにも、いろいろな考えやひらめきが浮かんでくるものだ。そもそも、とびっきりの発想というのは、頭に少し余裕がある状態、つまり、歩いたり、走ったり、泳いだりしているようなときにふっと浮かんでくるもので、こうした発想は、その場で捕まえておかないと、どこかにいってしまう。消えてしまう前に捕まえるためには、小型のノートとペンを使うのがたぶん一番いい。ノートは、それ自体、発想を展開し、さらには文章のかたちにしていく場となる可能性がある。

ヒントその5：繰り返し見直そう

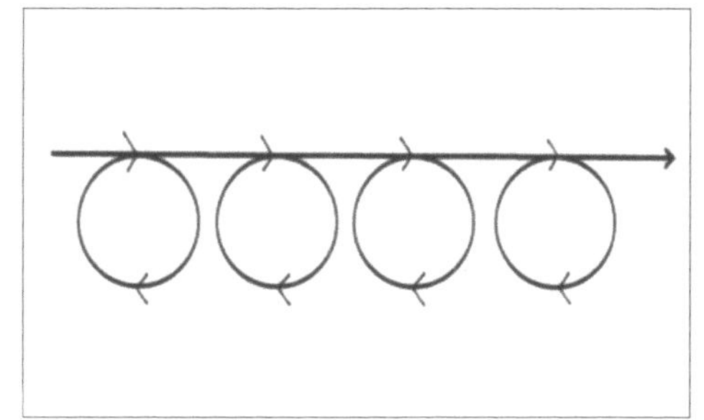

学術レベルでの文章の執筆というのは、書きっぱなしではすまない、繰り返しが必要なプロセスだ。つまり、文章を書き終えては書いた文章に立ち戻って推敲や書き直しを行うというプロセスがひたすら続く。実際、文章に手を入れるのをやめられず、そうはいっても時間には限りがあるわけで、締め切りぎりぎりまで手を入れつづけることになる執筆者も多い。

我々にわかっているのは、きちんとした執筆者は、まず草稿を書き、書き直し、原稿を書き上げ、さらにその原稿に手を入れるということだ。

ヒントその6：書いた文章を再読しよう

書いた文章は自ら再読し、必要に応じて音読もしてみよう。そして、⑴自分が書いた内容が理解できるか、⑵自然に聞こえるかについて自問してみよう。こうしたチェックには、音読が最適だ。音読時に腑に落ちない部分があるようなら、たぶん文章に問題がある。

フランスの有名作家ギュスターブ・フロベールは、原稿を出版社に送る前に、大声で読みあげていたという。だめな原稿がこの単純な確認テストをパスすることはないというのが彼の主張だった。

ヒントその7：書いた文章とは距離を置こう

山登りをしていると考えてみよう。登っているときは、自分の目の前数メートルしか視界に入らず、山全体が見渡せることはまずない。よその山は見えるが、自分が登っている山は見えないということだ。自分の登っている山を見るためには、その山と何キロかの距離を置く必要がある。そして、そのくらい離れれば、

登攀予定ルートや、そのルートがどのように続いているのかも見えるだろう。

執筆者としては、頂上へのルートが崩れたりすることなく続いているか、各ステップできちんと山を登れているか、各ステップがもっと明瞭にならないかを自問してみるのがよい。文章と距離を置くには、「時間」の力を借りよう。原稿を何日か寝かしてから、新鮮な目で、全体構造にも気を配りつつ文章を見直すということだ。

ヒントその8：書いた文章について話そう

執筆というのはとても孤独な活動で、我々は、自分が書いた文章のことをあまり人に話さないようだ。とはいえ、執筆に膨大な時間を費やしていることを思えば、これはなんとも妙だ。

他の誰かに、自分が書いた文章を読んでもらい、フィードバックをもらうのもよいだろう。特に、相互にフィードバックしあうのであれば、双方が建設的な批評を受けとることができるわけで、お互いにとってよい経験になる。

雑誌のエディターや出版社から文章を戻され、変更を求められることが多い点についても、学術的文章の執筆時には念頭に置いておいたほうがよい。

状況の似た執筆者同士でグループを作るのもよいだろう。そうすれば、互いに文章を読みあって、フィードバックしあうこともできる。

訳者あとがき

本書は、英国マンチェスター大学の全学語学プログラムのディレクターを務めるJohn Morley博士が、英語の学術的文章で実際に使われたフレーズ（文やその一部）を多数集め、整理することで編んだ文例集『Academic Phrasebank』（2017年版）の邦訳である。集められた文例は1900個強。それとは別に、重要構文200個強については、表の形式でバリエーションが示されている。本書では、その双方、つまり列挙された文例はもちろんのこと、表のかたちで示された文例にも訳をつけてある。

表現の収集分野は、データを集めて分析を行うような分野全般である。つまり、いわゆる理系分野だけでなく、面接や質問票によってデータを収集するような分野にまで広がっている。また、表現の収集元は、本書の著者であるMorley博士によれば、当初はマンチェスター大学に提出された博士論文100編であったものを、その後、収集先を徐々に増やして現在のかたちになったのだという（本書11ページを参照）。実際の文例から集められたフレーズは、論文の執筆を念頭において整理されている。つまり、理屈のうえにとどまるにせよ、論文執筆時に、場面ごとに集められた微妙に角度の異なるフレーズから適切な文例を選んで、語句も適宜入れ替えながらつないでいけば、論文のかなりの部分について粗稿的なものが書ける。

これまでも、「論文の書き方」について解説した良書はいくつもあったし、そうした書籍でも、サンプルとして文例は示されていた。それらと「フレーズバンク」である本書との違いは、まずは文例の「量」だろう。数が多いからこそ、使用場面を細かく分類することが可能となり、そうして分類された各項目に、多様な構文を持つ文例を多数収録できたということだ。その意味で、本書に匹敵する類書はない。

もうひとつ、本書の特徴として挙げておかねばならない事項として、定型的な表現の多い「方法」や「結果」のセクションではない「序論」や先行研究への言及部分、さらには「考察」といったセクションについても、豊富な文例が載っていることだろう。こうしたセクションは、定型的表現を拾っていく従来の方式では太刀打ちしにくかった部分なのだが、近年の言語理論、つまり書き手・聞き手間の具体的なコミュニケーション場面を念頭に置いた言語理論を応用するかたちで、細かく整理できたということである。

たとえば、論文執筆では、先行研究に言及する場面に必ず遭遇するわけだが、本書の場合には、まず、先行研究への一般的な言及と、特定の何かを強調しながら言及する場面に分けたうえで、その強調するのが「研究者」なのか、「研究の内容」なのか、「研究の対象」なのかで場面をさらに分類している。先行研究に言及する未分類の文例から、⑴自分がどんな角度から書けばよいのかのヒントを得たり、⑵適切な文例を選んで自分の文章で利用したりするのは、不可能とまではいわないが、相当困難だ。その点、本書のように、実践的なかたちで場面が分類されていれば、目当ての文例群にたどりつくのはかなり楽になる。

なお、文例は、どんな「文」でもよいかといえば、そんなことはない。このあたりについては、辞書（たとえば英和辞典）の用例を思い浮かべるのがわかりやすい。辞書の用例というのは、辞書執筆の専門家が、①特定の文脈や前後関係に限定されず、②そのまま使っても剽窃にならず、③文中の語句を適宜とりかえて使い回すことも可能な用例を厳選している。本書に掲載された文例も同様に厳選されており、基本的に、この①②③があてはまる。そうした適切な複数の文例を見比べながら、論文を書き進められるのが本書のメリットだろう。

最近は、ニューラル機械翻訳の実用化が進み、2016年秋のグーグル社やマイクロソフト社に続き、2017年夏にはDeepL社、その翌年にはReverso社など、言語に特化した企業も参入している。しかし、機械翻訳の場合、読点（、）の位置が少しずれたり、活用語尾がちょっと違ったりするだけで、示される訳ががらっと変わることも多い。このことからもわかるように、機械翻訳が出力する文が、辞書用例について挙げた上記の①②③を安定的に満たしていることは原理的にありえない。つまり、機械翻訳によって示された文が使ってよいレベルの文かどうか、あるいはその文脈に合致する文かどうかの判断は、必ずしも英語の達人ではない文章執筆者の側にゆだねられているということだ。時としてひどい誤訳が出力される、あるいは相当頻度で意図するニュアンスとかなり異なった訳が出力されるということは、とりもなおさず、すべての文を見直さなければならないということでもあり、並大抵の労力ではすまない。

なお、一般論として、上記①②③を満たさない文を、グラマーチェック用のソフトウェアでなんとか手直ししようなどというのは心得違いもはなはだしい。そうしたレベルの文は、ていねいに人手をかけたとしても「手直し」でどうこうなるものではなく、基本的に一から書き直しになる。ある閾値に達しない論文が書き直しになるのと同様である。

論文を大量にななめ読みするなどの用途では重宝されることも多い機械翻訳だが、論文執筆に直接的に使用するのはリスクが大きすぎる。何より、機械翻訳によって示される文はひとつだけで、本書のように複数の厳選された文例から自分が使用する構文を選ぶ方向性とは、まったく異なることは念頭に置いておいてほしい。

上記をまとめると、「英語の論文は、最初から英語で書く」という当然の結論になるが、さて母語ではない英語で論文を執筆するとなるとなかなか大変だ。そして、表現という部分で一番困るのが、大事な内容ほど、その内容を論じる角度を微妙に変えながら、何度も繰り返し言及せねばならないという部分だったりする。

まったく同じ文を繰り返すわけにはいかないが、さりとて手持ちの表現は尽きた——そんなときこそ、本書の出番である。ぜひ、本書に収録されている《微妙に角度の異なるフレーズ群》を頼ってみてほしい。

さて、本書全体の構成について簡単に説明しておきたい。本書では、まず本書の概要が簡単に述べられる。次が、本書のメインの部分、つまり文例が集積されたフレーズバンク部分だ。このフレーズバンク部分では、各種フレーズが、前半の「セクション別表現集」では論文の流れに沿って、つまり序論から結論までの順で提示され〔表1.1〕、後半の「場面別表現集」では、使用目的や状況別に提示される〔表1.2〕。

〔表1.1〕「セクション別表現集」の目次
研究を紹介するための表現
関連文献に言及するための表現
方法を説明するための表現
結果を記載するための表現
得られた知見の考察に用いる表現
結論を述べるための表現

〔表1.2〕「場面別表現集」の目次
批判的態度で臨む際の表現
慎重を期す際の表現
分類と列挙の表現
比較対照の表現
用語を定義する際の表現
傾向や予測について説明する表現
量の記述に用いる表現
因果関係の説明に用いる表現
主張を裏づける例を挙げる際の表現
次の話題に移る際の表現
過去について述べる際の表現
要旨で用いる表現
謝辞で用いる表現

論文には、各セクションに特徴的な表現も、セクションの別に特にかかわりなく論文の各所で使用される表現も出てくる。前者の表現は基本的に前半の「セクション別表現集」のほうに、後者の表現は基本的に後半の「場面別表現集」のほうに収録されているということだ。前半部分にせよ、後半部分にせよ、文例の使用場面は細かく分類されている。本書の使用時には、目次から適当な項目を見つけて、収録された文例に目を通していけばよい。ただ、細分化された小項目は、いかんせん200個弱もある。そこで、今回翻訳するにあたり、「項目」を見つける手掛かりとなるように索引を作成し、巻末に付すことにした。この索引も利用して、めざす「項目」に上手に到達してほしい。

そして本書最後の「学術的文章を書くということ」のセクションで、論文執筆の注意事項がコンパクトに解説される。このセクションでは、英語の論文を書くときに必ずといってよいほど悩むパンクチュエーション、冠詞や接続表現の使い方、段落の構造などといった定番事項だけでなく、文章を執筆するときと口頭でプレゼンテーションを行うときの違いなどについても触れられている〔表1.3〕。このセクションは、単なる解説にとどまらず、本書でどんな文例を集めたのかという「心」のようなものが垣間見える部分でもある。楽しんで読んでほしい。

〔表1.3〕「学術的文章を書くということ」の目次
学術的文章のスタイル
学術的発表(プレゼンテーション)のスタイル
間違えやすい単語
英国綴りと米国綴り
パンクチュエーション(句読法)について
冠詞について
文の構造
複数の発想を連結する際に使用される語句について
段落(パラグラフ)の構造
どうやって書くか

実は、本書の訳出を通じて最も悩んだのは、「英語で論文を書くときには英語で思考や文章を組み立てるのだから、その過程には、日本語は不要だし、本書についても、Morley博士が編まれた英語原語版を使用すれば事足りるのではないか」、つまり、「日本語版（対訳版）は不要なのではないか」という疑問だった。

この疑問は、必ずしも訳者のみが抱く疑問でもないと思うので、訳者の考えを書いておきたい。ひとつは、日本語訳が付されていることで、本書の各文例は、必ずしも英語に長じていない人でも微妙なニュアンスまで理解できるのではないかという点である。そしてもうひとつ、英語に比べて圧倒的に読み慣れている日本語訳が付されていることで、目当てとする英語文例に楽にたどりつけるのではないかとも思う。その意味で、日本語訳は、いわゆる「原文が透けて見える訳」、つまり原文を細切れに置き換えた訳ではなく、なるべく「英語原文と同じ内容を日本語論文で書く際に使用されるような文」にすることを心がけた。

さて、本書を編まれたMorley博士であるが、博士はオーストラリア、シンガポール、インドネシア、スペインなどで教鞭をとってきた経験もふまえ、論文で使用される表現を収集するプロジェクト（Academic Phrasebank）を2004年から展開してこられた。現在も進行中のこのプロジェクトでの表現採集元が、当初は勤務先であるマンチェスター大学に提出された学位論文100編であったこと、その後さまざまな分野の学術論文からさらに表現採集を重ねたこと、集めた表現は適宜単純化などの処理をほどこしたうえで本書に収載されたことなどは、博士による本書「本書について」部分において述べられている。

これも、「本書について」部分でMorley博士自らが語っていることだが、本書の原本である『Academic Phrasebank』は、当初、英語が母語ではないにもかかわらず論文を英語で書かねばならない人たちを念頭に置いて編まれたのだという。ところが蓋を開けてみると、読者の過半が英語を母語とする書き手になっていたそうで、これは、本書が「不慣れな外国語で論文を書かねばならない」から役立つのではなく、「自分の得意な言語であれ、不得意な言語であれ、論文を執筆するのに役立つ」存在だという証左だろう。

今回、本書を、各文例に日本語訳を付した「対訳」のかたちとして刊行できたことで、日本語を母語とする書き手が、英語の論文を書く際だけでなく、日本語の論文を書く際にも本書を役立てられるようになったのであれば、訳者にとっては望外の喜びである。

最後に、本書から一節を引用したい。

> 「書けない症候群」に悩む人は多く、特に大変なのが書きはじめのようだ。こうした状況を克服する方法に、短時間（たとえば4分）を目安に、その間、そのトピックをめぐって思いつくことをひたすら書き出してみるという方法がある。大事なのは書きつづけること。キーボードを使っているなら、キーを打ちつづけることだ。綴りや文法は気にせず、どんどん書いていこう。自分でも、短時間に書ける量や、出てくる発想の数に驚くことになるだろう。ここまできたら、出てきた発想を整理して、論理的で文法的にも正しい文章を書けばよい。（本書236ページ、傍点は訳者）

この「出てきた発想を整理して、論理的で文法的にも正しい文章を書けばよい」という場面こそが、本書の使用場面だろう。本書におさめられた対訳形式の文例1900個強と、テンプレート形式の構文200個強を上手に利用して、学術的文章の世界を自在に闊歩できるようになってほしい。

本書の訳出にあたっては、岡山大学名誉教授・岡山理科大学教授の国枝哲夫先生に、当初より相談に乗っていただきました。国枝先生には、ポール・J・シルヴィア『できる研究者の論文生産術』や『できる研究者の論文作成メソッド』などでも、お世話になりましたが、今回は、日々論文を執筆する研究者として訳出原稿に目を通していただいただけでなく、専門のお立場から監修者あとがきを執筆していただきました。最後になりましたが、講談社サイエンティフィクの横山真吾氏には、上記2冊にひきつづき、大変お世話になりました。ありがとうございました。

2022年7月

高橋さきの

本書の使い方・翻訳の方針

本書の使い方

訳者あとがきでも述べたとおり、本書では、実際の文章から集めたフレーズが、論文の執筆を念頭において整理されている。その結果、論文執筆時に、場面ごとに集められた微妙に角度の異なるフレーズから適切な文例を選んで、語句も適宜入れ替えながらつないでいけば、理屈のうえにとどまるにせよ、論文のかなりの部分について粗稿的なものを書くことが可能だ。

言い換えると、本書の典型的な使い方は、論文の執筆時に、目次や索引を手掛かりに実際に使える可能性のある複数の文例、つまり互いに微妙に異なる複数の文例に目を通したうえで、

- どんな角度から書けばよいのかについてヒントを得たり、
- その中から適切な文例を選んで、場合によっては語句を適宜入れ替えたうえで、自分の書きたい内容に即して文章に利用したりする

というものだろう。

もちろん、本書を読み物として読みながら、論文執筆時に遭遇するであろう各種の場面や、各場面で使えるかもしれない文例に目を通しておく、つまり本書をイメージトレーニングに利用するのも有用だ。一度目を通してあれば、実際の執筆時にも楽に参照できる。

ぱらぱらめくってみればわかるように、本書では、微妙に異なるフレーズの数々を列挙するだけでなく、基本構文については表（テンプレート）形式でも示している。この表形式での説明は、本書のユニークな部分でもあり、ぜひ上手に使いこなしてもらいたい部分でもあるので、少していねいに説明しておきたい。

まずは、表ひとつを用いるごく単純な例をとりあげてみよう。〔表2.1〕を見てみてほしい。「Smithは、…をcriticizeしている」という基本のかたちだけでなく、question、challenge、be critical of、cast doubt on、point out that、take issue with、raise a number of questions aboutといったそれぞれニュアンスが微妙に異なる述語動詞を用いても当該論考に対して批判的に言及できることが、表形式を用いることで手際よく示されているのがわかるだろう（なお、この表が出てくるのは、何かについて自分で直接批判するのではなく、「他の執筆者による批判的応答を紹介する」かたちをとった文例を集めた部分である）。

〔表2.1〕

<table>
<tr><td rowspan="8">Smith
Smithは、</td><td>criticizes ... …を批判している。</td></tr>
<tr><td>questions ... …に疑問を呈している。</td></tr>
<tr><td>challenges ... …を問題にしている。</td></tr>
<tr><td>is critical of ... …に対して批判的だ。</td></tr>
<tr><td>casts doubt on ... …に疑義を投げかけている。</td></tr>
<tr><td>points out that ... …であることを指摘している。</td></tr>
<tr><td>takes issue with ... …に異議を唱えている。</td></tr>
<tr><td>raises a number of questions about ... …をめぐる疑問をいくつも提起している。</td></tr>
</table>

ここでとりあげたのは、述語動詞部分を変化させるケースだが、本書では、他にも、形容詞や副詞の部分を変化させるケースなど、さまざまなテンプレートが使われている。

さらに、内容や視点を微妙に変化させようとすれば、文の一部でなく、構文そのものを変化させる必要が出てくる。そうなってくると、表（テンプレート）ひとつだけでは、おさまらなくなる。

類似した内容を表現する構文ということでは、高校でも、強調構文（分裂文）として、itやwhatを使う構文、つまり「My brother bought a cake.」を「It was a cake that my brother bought.」や「It was my brother who bought a cake.」にして「何を買ったか」や「誰が買ったか」という部分を強調するit強調構文や、「What my brother bought was a cake.」にして、「何を買ったか」という部分を強調するwhat強調構文を習ったはずだ。あるいは、「Table 1 shows ～.」と「～ are shown in Table 1.」のような能動態構文と受動態構文を想起する向きも多いだろう。もとより文章というのは、状況に見合ったさまざまな構文を駆使して書かれるものなのである。

上記は類似した内容を微妙に異なる角度から表現する典型的な例だが、類似した内容を表す構文は無限とはいわないが多数ある。例を示しておこう。〔表2.2〕と〔表2.3〕の例では、基本構文「X may become Y.」のバリエーションが〔表2.2〕でまず示され、そのうえで、類似した構文として、「It is likely that Z will …」の構文のバリエーションが〔表2.3〕で示されている（なお、この2つの表が出てくるのは、第8章「慎重を期す際の表現」の小項目「慎重を期す（将来の可能性の記述）」（p.156）である）。

〔表2.2〕では、表2列目部分をcould、might、is likely to、will probably、will almost certainlyというように変化させることで、「将来の可能性」が前半の低い側から後半の高い側へと整理されている。論文を書いていても、ものごとの「起こりやすさ」についてのニュアンスの違いは常に気になる部分であり、このように整理してあると、ニュアンスを楽に比較できる。〔表2.3〕でも、表1列目部分のIt is ～やThere is ～の部分を変えながら、「将来の可能性」のバリエーションが示されている。

〔表2.2〕

<table>
<tr><td rowspan="2">Severe weather
過酷な気象は、</td><td>may
could
might
is likely to
will probably
will almost certainly</td><td>become more common in the future.</td></tr>
<tr><td colspan="2">今後もっと普通に［なるかもしれない／なる可能性がある／なるかもしれない／なりそうだ／なるだろう／まず間違いなくなるだろう］。</td></tr>
</table>

〔表2.3〕

It is likely It is possible It is almost certain There is a possibility There is a small chance There is a strong possibility	that	the situation will improve in the long-term.
状況は長期的には改善される〔可能性が高い／可能性がある／ことはまず間違いない／可能性がある／可能性も少しはある／高い可能性がある〕。		

以上、いくつかの例を挙げてきたが、要は、書き手というのは、実際の文章執筆時には、基本の構文以外にも、読み手に何をどのように伝えたいかに応じて文を複数思い浮かべているということだ。本書では、そうした執筆時のマインドセッティングとよく呼応するかたちで文例が示される。ちなみに、本書所収の200個強の表は、文にすると1500個弱に相当するはずだ。列挙形式の文例だけでなく、表形式の文例もぜひ上手に活用してほしい。

翻訳の方針

本書では、翻訳にあたって、2つの形式を使用した。ひとつ目の形式は、表形式で示された構文200個強についてのもので、こうした表形式の文例については、〔表2.4〕のように、文の各部分に訳を付す「細切れ」形式としてある。

〔表2.4〕

This is a/an (rather) これは(むしろ)	surprising 意外な significant 有意な interesting 興味深い remarkable めざましい unexpected 予想外の disappointing 残念な	result. 結果だ。 outcome. 帰結だ。

2つ目の形式は、表形式ではない通常のかたちで示された文例1900個強についてのもので、こちらは、〔表2.4〕のような「細切れ」形式ではなく、通常の訳、それもなるべく自然な訳、つまりその文例の内容が日本語の文章の流れの中に位置していた場合であれば、こう書かれることが多いというようなかたちの訳を付してある。

ただ、通常の文章のように、「文」が文章の流れの中で出現するのであれば話は単純なのだが、本書の場合には、そうした「文」やその一部が、文章の流れから取り出されて対訳形式でリストアップされている。そのため、1文ずつの対訳として見ると、原文と日本語訳が対応していないように感じられる場合もあるかもしれない。

そうした事情にかんがみ、以下に、英語原文に対する「細切れ訳」と「通常の訳」に構文レベルで違いがあるケース、つまり、英語原文と日本語訳との対応に疑問符が灯りがちな3パターンを、具体例として本書所収の対訳を示しつつ、まとめて整理しておきたい。

同じことを別の言い方で説明すると、この3パターンのように、英語原文に対する「細切れ訳」と「通常の訳」に構文レベルで違いがあるケースというのは、英語の文章を書くときに、日本語で思いついたままの「日本語的発想」をひきずってしまいがちな典型的ケースだということになる。英文執筆時に「日本語的発想」をひきずりがちなケースは他にも多々あるわけだが、まずは、この3パターンのことをよく覚えておいてほしい。

注:「日本語的発想」をひきずって書かれた英文もどきは、日本語話者以外には理解不能である。

[1] 無生物主語や能動態の多用(英語)

英語で無生物主語を用いて能動態で表現されることの多い内容が、日本語ではそうでないかたちで表現されるケースは多い。

例:

(英) Previous research comparing X and Y has found ...

(日) XとYを比較する先行研究で、…が見出された。

(英) These findings are somewhat surprising given the fact that other research shows ...

(日) 他の研究で…が示されていることからすると、これらの知見はやや意外だ。

本書に上記のような能動態の文例が載っているのは、上記一例目で「In the previous research comparing X and Y, ... was found」としたり、二例目で「These findings are somewhat surprising given the fact that ... has been shown by other research」としたりすることが、必ずしも間違いではないものの、こうしたケースでは本書に載っているような能動態が使用されることのほうが多いというシンプルな事情からである。また、日本語対応訳を受動態のかたちにしてあるのは、訳者の長年の経験では、こうしたケースでは受動態が使用されることのほうが多いからである。

なお、上記とは逆に、英語で受動態を使って表現されることが多い内容が、日本語では能動態を使って表現されるのが普通であるようなケースもある。こうしたケースは、方法のセクションに多出する手順関連の文によく見られる。方法のセクションで、下記各例に対応する「We included ~ in the study」や「We used ~ in this investigation」のような能動態の文に遭遇する確率は低めだろう。

例:

(英) Only children aged between 10 and 15 years were included in the study.

(日) 研究では、10歳から15歳の子どものみを対象とした。

(英) Both qualitative and quantitative methods were used in this investigation.

(日) この研究では、定性的な方法と定量的な方法の両方を用いた。

[2] 名詞・動名詞を用いた構文の多用（英語）

英語において、名詞（句）や動名詞（句）を用いた構文で表現されている内容が、日本語ではそうではなく、開いたかたち（文に展開したようなかたち）で表現されるケースも多い。

例：

（英） The generalizability of much published research on this issue is problematic.

（日） この問題を扱った公表済みの多くの研究は、一般化できるかどうかという点で問題がある。

（英） The mixing of X and Y exerts a powerful effect upon Z through ...

（日） XとYを混合すると、…を介してZに対して強い影響が及ぶ。

[3]「〜がある」構文の多用（日本語）

日本語では、「〜がある」構文が多用される。ひとつ目の例として、英語において、haveやincludeのような所有関係や包含関係を表す動詞を用いることで、その動詞の目的語が存在していることが表現されているケースを挙げておく。

こうした場合、日本語では、対応する内容が、「〜がある」構文を使って表現されることも多い。

例：

（英） The use of life story data has a relatively long tradition within X.

（日） ライフ・ストーリーのデータを使用することに関しては、Xには比較的長い伝統がある。

（英） Almost every paper that has been written on X includes a section relating to ...

（日） Xについて書かれた論文のほぼすべてに、…に関連するセクションがある。

2つ目の例として、英語において、不定冠詞「a/an」や「one」、「one of」、「another」などを用いて、主語となる事物が唯一ではないという状況が表現されているケースを挙げておく。こうした場合にも、日本語では、対応する内容が「〜がある」を使って表現されることが多い。

例：

（英） A major problem with the experimental method is that ...

（日） この実験的な方法の主要な問題点として、…がある。

（英） One interesting finding is ...

（日） 興味深い知見として、…がある。

（英） Another possible area of future research would be to investigate why ...

（日） 今後の研究領域として、なぜ…なのかを調べるというのもあるはずだ。

上記のように、日本語の文で文末・文節末表現として「～がある」が使われるケースは少なくない。そうしたケースについて、英文執筆時に、「～がある」から想起されがちなthere is/are構文を使用すると、論理性に問題が生じたり、意味不明になったりすることも多い。

監修者あとがき

科学研究に携わるものが論文を書かねばならないのは当然のこととはいえ、研究者は、近年、従来に比べて格段に多くの論文を書くことを、社会的理由からも個人的理由からも要求されているようだ。あたりまえのことだが、研究というのは論文として発表され、その成果が広く科学コミュニティ間で共有されることで、その価値が認められ、社会にも貢献することができる。これは昔からいわれていることで、論文を書くことは、研究にかかわるものとしての責務であることもいうまでもない。

しかし、近年は、こうした道義的な責務に加え、国民の税金を用いて実施された研究である以上、その成果は社会に還元すべきだという、もっと直接的な考え方も一般的になっている。そのため、科研費などの公的資金を用いて実施された研究の成果は、たとえ当初の期待とは異なった結果となったとしても、他の研究者が今後研究を実施する際に参考になるように、きちんと論文として公表することが求められる。かくして、研究者にとって書くべき論文の数は必然的に増えてくる。

また、実際にはこちらのほうが問題で、また残念な傾向でもあるのだが、研究者個人ということでは、大学の教員採用人事などで、その個人の研究が当該分野でどのような重要な位置を占め、どのようにその分野に貢献しているのかについて、内容に立ち入って詳細に評価しようとするのではなく、論文の数など、数値化しやすい指標を用いて評価を行う傾向も強まっている。

現在の大学の人事では、助教、准教授、教授などの職階に応じて、これまでの公表論文が何報、そのうち筆頭あるいは責任著者のものが何報、最近5年間のものが何報といった基準を定め、その基準を満たさないものが自動的に候補者から除外されることも増えている。果ては、Impact Factor (IF) のように、本来はその論文が掲載されたジャーナルの影響力を示す指標であった数値を単純に用いて、その研究者の研究能力を評価するような事例さえ見受けられる。科研費の審査などでも、審査委員が、研究代表者の発表論文数などの情報を判断材料に加えることが多い。いくら研究の構想がすばらしくても、これまでの論文公表が貧弱であれば、研究能力に疑問が生じてしまうのも仕方がないことなのかもしれない。

こうした現状では、研究者、特に若手の研究者は、少しでも多くの論文を少しでも「いいジャーナル」(IFの高いジャーナル) に出すというプレッシャーにさらされることになる。もちろん、論文の数や掲載するジャーナルのIFなどは気にせず、本当に納得のいく論文だけを少数でもいいから確実に出していくという達観した姿勢も可能だし、大事だと思う。しかし、多くの研究者、特にこれから自分自身の研究環境を確立していこうとする若手研究者にとって、より条件のいいポストを得るためにも、また必要な研究費を獲得するためにも、論文の数をある程度稼がなければならないというのは厳然たる事実であり、そこで重要になってくるのが、得られた結果をいかに手際よく論文のかたちにまとめるかという論文執筆の効率化や省力化である。本書は、そうした研究者にとって、必須の指南書になると思う。

学術論文は、序論、方法 (材料と方法)、結果、考察という定型化されたセクションに分けられるというだけでなく、各セクションで述べられるべき内容についても、ある程度決まっている場合が多い。

たとえば、序論では、研究の目的を明示し、先行研究においてその目的に関連した事柄がどこまで明らかにされ、一方で何がまだ明らかにされていないかについて概説したうえで、論文における基本的な「問い」を提示するのが一般的である。

また、考察では、得られた結果について、研究目的と照らし合わせてその意義を強調し、その新規性や関連先行研究の結果との異同、さらに必要があれば不十分点を指摘したうえで、今後必要とされる研究の方向について述べ、最後に結論をまとめるというのが、研究分野にかかわりなく基本スタイルになっているのではないだろうか。

一方、方法のセクションは、述べられねばならない内容が研究分野ごとにある程度定型化されているので、先行文献を適宜参考にできるだろう。また、結果のセクションについては、少なくともデータを図表のかたちで提示した場合には、その的確な説明や解釈が必要になり、さらに研究目的に照らして重要と思われる知見を強調しておくことも必須である。

こうした事柄が各セクションに適切なかたちで配置されていることが、学術論文の満たすべき「体裁」ということになる。

訳者あとがきにも詳しく述べられているように、本書には、大量の学術論文が収録されたデータベースから、論文が満たすべき上記「体裁」の各場面で使われている表現が、場面ごとに見事に整理されたかたちで収録されている。また、本書の最大の特色は、論文の場面ごとの文例が多いことだろう。これまでも、方法や結果のセクションなど、比較的定型化されている部分については、例文をある程度収載した書籍はあった。しかし、本書では、序論や考察など、必ずしも定型化されているとはいえないセクションについても、学術論文執筆の場面ごとに整理を行い、一般に利用可能なかたちで広範な例文を掲載している。これは、英語圏で、英語が母語ではない学生、院生、研究者を対象とした学術論文執筆法にかかわる教育プロジェクトに長年携わってきた著者であればこそなしえた仕事だろう。

さて、本書に掲載されている多様なフレーズだが、それらの中から最も適切と思われるものを選び出し、適宜修正しながら組み合わせていくことで、自分が表現したい内容をある程度的確に表し、しかも論文としての体裁も満たされるような文章ができていくはずだ。互いに似通った多様な文例からその場に最も適した表現を選び出し、選んだ表現を用いて自身の文章を組み上げていくという著者自身による能動的行為を繰り返していくことで、著者独自の文章スタイルもできていくことだろう。

最近はDeepLなどの自動翻訳を論文作成に利用する人も一部に出てきているように聞く。しかし、機械が出力した文章を受動的に利用していても、自分のスタイルはけっして確立できない。また、あたりまえのことだが、原稿をまず日本語で書いてから、それを機械翻訳にかけて、得られた英文を、自分の意図するところと違いがないかどうかひとつひとつ点検して修正していくという煩雑な作業より（実際、意図しているものとかなり違うものが出力されることも多い）、自分のスタイルを確立したうえで最初から英語で書いたほうがはるかに効率的なことは間違いないし、自分が伝えたい内容も正確に伝えられる。

私たちの世代が論文を書きはじめたころは、書きたい論文と似たような論文のコピーを何十も集め、使えそうなフレーズに赤線を引き、付箋をつけておいて、いざ書きはじめて行き詰まったら、それらを端からチェックしてヒントになるフレーズを探すのが常だった。もちろん、人によってやり方はさまざまで、フレーズをカードにして項目ごとに整理しておく人も多かったようだ。しかし、同じ分野で似たような論文を書いているうちは、この程度でも、論文執筆のための貴重な個人的財産として有効に活用することができたものの、違った分野にチャレンジするときには、また一からカードを作り直さねばならないことも多かった。分野にかかわらず、論文のそれぞれの場面で広く使える数多くのフレーズを体系的に収集し、執筆者の立場に立って整理した本書のようなフレーズバンクは、学術論文の執筆者にとっての共有財産といえるのではないだろうか。

ところで、本書の読者の多くはすでに実感されているだろうが、2000年代に入ってオープンアクセス（OA）ジャーナルが広く出回るようになってから、学術論文の書き方や査読のあり方が変わってきている。PLOS ONEやScientific ReportsのようなOAジャーナルで査読を行う場合、論文の当該分野での重要性などは考慮しなくていいと、編集者から要求されるのが常になっている。査読にあたって重視するのは、研究がしっかりした実験方法や正しいデータ解析法に基づいて実施されており、得られた結果が科学的にたしかで間違いないものであるかどうか、そして論文としての体裁が整っているかどうかであって、論文の当該分野における意義や重要性は、出版された後に読者、すなわち研究者コミュニティが判断すればよいことであり、査読の段階で判断するべきではないとの編集ポリシーである。こうした状況からしても、本書の利用価値は高いといえるだろう。

もちろん、一般的な体裁にのっとって最低限のことが記載されているだけで、その分野における研究の重要性や、得られた結果の持つ意義や波及効果が説得力のあるかたちで提示されていない論文は、読んでいても魅力を感じないし、書いていてもあまり面白みは感じられない。洗練され機知に富んだ文章で、自身の研究の重要性や、さらには結果の意義や波及効果などを、説得力をもって述べられることは、多くの研究者の理想とするところである。

しかし、英語のノンネイティブがその域に達するには時間がかかる。まずは本書の文例を臨機応変に用いて、論文としての体裁を満たす原稿を作成してみてはどうだろう。そして、それに満足することなく、可能な範囲でより洗練された文章を作成する努力を積み重ね、多数の論文を書いていく中で自分の論文のスタイルを確立していくことができればよいのではないかと思う。それができれば、自分の論文の重要性を、説得力のある文章で、多くの読者に（あるいは適任とは思われないような査読者にも）納得させることもできるようになるだろう。

多くの研究者が少なからず経験しているのではないかと思うが、すばらしい研究であると自信をもって投稿したのに、編集者の段階で「この論文にはgeneral interestが欠けている」と拒絶され、査読にも回されないというのは「IFの高い」著名ジャーナルではよくあることで、こうした事態についてはなんとか回避したいものだ。わかりやすい説得力ある文章を書くことで、編集者の段階での拒絶を通過できれば、その後の査読者からの意見は、厳しいことはあっても一般的には建設的であり、最終的に掲載に至らないような場合でも、査読者とのやりとりは次のステップに向けた有益な糧となる。こうした高みに至る論文執筆のスキルアップに、本書をぜひとも有効に活用してほしい。

最後に、本書の具体的な利用方法の一例を紹介したい。

本書では、学術論文における各セクションが一般的にどのような要素から構成されているか、さらに、それぞれの要素においてどのようなフレーズが使われているかを、数多くの論文の分析から明らかにしている。その意味で、本書は、実際に論文を書くうえで心強い存在だ。論文の執筆にとりかかった際に「はじめの一歩」を踏み出せず、逡巡してしまった経験のある人は多いはずだ。そうしたときにこそ、本書を開いてみてほしい。論文の各セクションが一般的にどのような要素から構成され、それぞれの要素でどのようなフレーズが用いられているかがすぐにわかる。

たとえば本書の第1章「研究を紹介するための表現」の部分を読めば、序論というのが一般的に「扱う課題が当該分野にとって重要なことを確認する」「重要な問題点を明確にする」「文献を概括する」「先行研究や学識に一般的に言及する」「研究目的を述べる」といった諸要素から構成されていることがわかる。そこで、試しに現在構想している論文について、各要素に例示されているいくつかのフレーズを選び、適宜該当する単語を入れて少し手を加えたところ、下記のような文章が「あっという間に」できてしまった。

Meiosis is a major area of interest within the field of reproductive biology and has been studied by many researchers using mouse gametogenesis as a model system. Particularly, early stages of meiosis in mouse gametogenesis has been the subject of much systematic investigation and, during the last decade, the link between meiotic recombination and fertility has been at the center of much attention. However, the main challenge faced by many researchers is the sexual differences of meiotic process. For example, in contrast to male meiosis, there is much less information about effects of meiotic recombination on the process of female gametogenesis. Previous studies of female meiosis have suffered from methodological limitations and failed to demonstrate a causal relationship between meiotic recombination and fertility. The aim of this study, therefore, is to investigate .... Specifically, the following issues will be addressed: 1. ...., 2. ...., and 3. ....

上記は本書に掲載されている例文に少し手を加えて単純に並べただけのもので、まだまだ完成されたものとはいえない。しかし、これを「はじめの一歩」として適宜加筆修正していけば、以降もスムーズに書き進めることができるのではないだろうか。また、論文を書き進めているうちに行き詰まってしまった場合も、本書に戻って対応するセクションから適宜フレーズを選んでいけば、その壁を容易に突破できるだろう。本書はこうした実践的な使い方もできるはずだ。

重要なのは、これらのフレーズが多くの論文において実際に利用されているものから抽出され、一般化したうえで整理されたものであり、そうした英文に対する微妙なニュアンスの違いも考慮した可能な限り正確な日本語訳がつけられているという点である。であればこそ、本書収載の多様な文例の中から適切なものを選んで利用することで、執筆者が表現したい内容を、正確に英語で表現できるものと考える。ぜひとも試していただきたい。

2022年7月

国枝哲夫

索引

英字

和字

あ

い

う

え

こ

さ

し

す

せ

へ

ほ

ま

み

む

め

論文

著者紹介

ジョン・モーリー（John Morley）

マンチェスター大学アカデミック・イングリッシュ・センター名誉上級講師。語学の自学自習への支援方法、学術英語で使われているパターン表現をマッピングする研究に従事。世界中の研究者たちが愛用している「Academic Phrasebank」を創設し、現在も運用している。

訳者紹介

高橋（たかはし）　さきの

翻訳家。東京大学大学院農学系研究科修士課程修了。訳書に『できる研究者の論文生産術』講談社（2015)、『できる研究者の論文作成メソッド』講談社（2016)、『科学者として生き残る方法』日経 BP 社（2008）などがある。

監修者紹介

国枝（くにえだ）　哲夫（てつお）

岡山大学名誉教授。東京大学農学部卒業。農学博士。著書に『応用動物遺伝学』朝倉書店（2007)、『動物遺伝育種学』朝倉書店（2017）などがある。

NDC836.5　266p　24cm

アカデミック・フレーズバンク
そのまま使える！構文200・文例1900

2022年10月20日　第1刷発行
2024年4月18日　第6刷発行

著　者　ジョン・モーリー
訳　者　高橋さきの
監修者　国枝哲夫

発行者　森田浩章
発行所　株式会社　講談社
〒112-8001　東京都文京区音羽2-12-21
販　売　(03)5395-4415
業　務　(03)5395-3615

KODANSHA

編　集　株式会社　講談社サイエンティフィク
代表　堀越俊一
〒162-0825　東京都新宿区神楽坂2-14　ノービィビル
編　集　(03)3235-3701

本文データ制作　美研プリンティング株式会社
印刷・製本　株式会社ＫＰＳプロダクツ

ISBN978-4-06-518018-1